GÉNÉRATION

Du même auteur au Rouergue

Les Autodafeurs 1, mon frère est un gardien, roman doado, 2014
Les Autodafeurs 2, ma sœur est une artiste de guerre, roman doado, 2014
Les Autodafeurs 3, nous sommes tous des propagateurs, roman doado, 2015

Illustration de couverture : © Patrick Connan
Graphisme de couverture : Olivier Douzou

prologue

Une vingtaine d'années plus tôt... fin mars.
Roumanie
Village de Braşov

Entre l'ombre des remparts du château de Bran et
Braşov, un camp de Tziganes se dresse à l'écart des habi-
tations. Cela fait des siècles que ces familles sont installées là, leurs caravanes font partie du paysage, pourtant
c'est comme si un mur les séparait des habitants du
village.

Personne ici n'adresse la parole aux Tziganes à moins
d'y être obligé. Personne ne les regarde passer quand ils
marchent dans les rues, personne ne les écoute chanter
ni ne les admire quand ils dansent.

Au fond d'eux, les villageois aimeraient qu'ils
partent, mais personne n'oserait dire cette phrase à
haute voix. Car les vieux racontent des choses, des
choses qu'ils tiennent de leurs ancêtres et qu'ils trans-
mettent aujourd'hui à leurs petits-enfants. Des histoires qui donnent des cauchemars aux plus jeunes et

font murmurer les femmes, des histoires que même les hommes les plus forts ne peuvent effacer d'un revers de la main. Quelque chose qui pousse les villageois du coin à éviter la zone, à baisser le ton quand ils en parlent et à rester chez eux à la nuit tombée.

Alors, à Braşov, dans l'ombre du château de Bran où aiment venir frissonner les touristes, les Tziganes restent et les habitants les ignorent.

Mais aujourd'hui, même s'ils ne le savent pas encore, les Tziganes vont partir.

Au milieu du camp se dresse une caravane plus grande que les autres, plus neuve et plus riche aussi. Quand les jeunes passent à côté ils cessent de courir, quand les adultes la frôlent, ils se taisent. C'est ici que vit la matriarche du camp, leur guide, la mémoire de leur peuple, la dépositaire de leur secret le mieux gardé.

Dans cette caravane vit *Celle qui écoute* ; et depuis quatre mois quelque chose se passe.

Quatre mois que la vieille ne sort plus de sa caravane, qu'elle dort, qu'elle écoute les murmures de la nouvelle génération qui se réveille.

Quatre mois que le campement retient son souffle, que tous attendent, suspendus à son silence.

Alors, quand la poignée de la porte blanche s'abaisse enfin, quand la vieille descend les marches de sa caravane et va s'asseoir près du feu, il ne faut qu'une minute à son peuple pour la rejoindre.

Ils sont tous là : ses trois fils, sa fille, ses belles-filles, son beau-fils, ses neuf petits-enfants. Tous, même les chiens, sont assis, regroupés dans l'attente de ce que le monde a murmuré à l'oreille de *Celle qui écoute*.

Et la vieille parle :

– Le Maître se réveille.

Quatre mots. Pas plus, pas moins, mais c'est suffisant pour que le silence explose et que les questions fusent.

– Tu es certaine Mama ? C'est trop tôt ! Le Maître est déjà revenu il y a un siècle et demi ! jette son fils aîné Zoltan.

Mais la vieille hoche la tête. Même si elle partage la surprise de son fils, elle est certaine de ce qu'elle a entendu et nul ne peut douter de sa parole.

– Pourquoi revient-il si tôt ? insiste Zoltan.

Autour du feu la vieille voit les visages se tendre vers elle dans l'attente d'une réponse mais elle va être obligée de les décevoir, car elle n'en a aucune.

Jamais, de mémoire de veilleuse, le retour du Maître n'a été aussi rapide.

Il avait dormi quatre siècles avant son précédent réveil... qui lui-même suivait un sommeil de mille quatre cents longues années. Pour ce qui est d'avant, personne ne se souvient, mais *Celle qui écoute* sait que le Maître était là bien avant les premiers humains.

Les cycles se raccourcissent et la matriarche comprend l'inquiétude du clan. Même s'ils y ont été préparés, aucun d'eux ne pensait voir le Maître de ses propres yeux ; mais il est le Maître et ils sont son peuple, le peuple qu'il a choisi pour veiller sur lui et préparer son retour.

Alors ils doivent savoir.

Pourtant la vieille hésite à leur apprendre ce qu'elle a entendu, elle prend son temps, caresse les cheveux noirs de la minuscule fillette assise sur le sol à ses pieds, soupire, ouvre la bouche… puis la referme.

Elle semble vouloir garder encore quelques instants le monde tel qu'il est. Elle sait que lorsqu'elle aura parlé plus rien ne sera jamais comme avant. Alors elle se tait encore un peu.

Un tintement de bracelets lui fait baisser la tête. Une petite main est en train de secouer sa jupe.

C'est Völva, sa petite-fille.

– Tu l'as entendu, Mama ? lui demande doucement l'enfant.

La vieille sourit. Elle s'en doutait depuis sa naissance, mais maintenant elle en est certaine : Völva est la seule de sa descendance à avoir le don, la seule à se douter de ce qui arrive.

– Tu as entendu toi aussi ? l'interroge-t-elle en retour.

La gamine aux grands yeux noirs hoche la tête et le silence se fait autour du feu.

C'est la première fois que la matriarche évoque en public le don de Völva et tous comprennent ce que cela signifie : l'aïeule va passer la main ; bientôt.

Mais avant il lui reste un dernier travail à accomplir.

– Une nouvelle génération de Génophores arrive mais un grand danger les guette. Je sais où les trouver. Nous devons partir les aider, annonce-t-elle en se levant.

À l'écart du village de Braşov, le camp tzigane est maintenant vide.

Tôt ce matin, les villageois ont vu passer les caravanes.

La majorité a détourné le regard ; certains, heureux de leur départ, ont craché sur le sol.

Mais les plus âgés, eux, se sont signés avec effroi.

Car les plus âgés se souviennent des vieilles histoires, les plus âgés savent que lorsque les serviteurs du Maître se déplacent… c'est pour préparer son retour.

Un mois plus tard, dans la nuit du 30 avril
Quelque part dans le Jura

Une jeune femme, pieds nus, court au cœur de la forêt.

Les longs pans de sa blouse bondissent autour d'elle comme deux chiens de chasse, frappent ses mollets, s'accrochent aux branchages et la ralentissent.

Cette blouse d'hôpital a manqué par deux fois de la faire tomber. Elle devrait l'enlever mais elle hésite. En dessous, elle ne porte qu'une simple chemise de nuit brodée au cœur d'un K sanglant et elle a froid.

La jeune femme s'arrête, repousse d'une main ses longs cheveux noirs qui lui collent au visage et s'appuie contre un arbre pour reprendre son souffle.

Il fait nuit mais elle sait que celle qu'elle cherche est là, quelque part, et qu'elle l'attend.

Elle le sait car toutes les nuits une voix résonne dans son esprit et l'appelle. Une voix qui lui veut du bien, qui la rassure.

La jeune femme n'en peut plus, elle hésite encore une seconde à enlever sa blouse puis renonce.

Abandonner le vêtement ce serait laisser une trace, un indice sur la direction de sa fuite et, ça, elle ne le veut sous aucun prétexte alors elle resserre les pans de tissu autour d'elle, respire profondément et reprend sa course.

Elle a parcouru moins d'un kilomètre et sait que c'est trop peu, que si elle veut avoir une chance de leur échapper il faut qu'elle coure plus vite, qu'elle s'éloigne encore plus loin… mais elle est si fatiguée.

S'ils la rattrapent, ils la tueront.

S'ils la rattrapent, ses enfants n'auront aucune chance.

Alors elle court, sans prendre garde à ses pieds sanglants, à la sueur qui dégouline le long de son cou et à son souffle qui se raccourcit de plus en plus.

Sous ses mains glissées comme un berceau autour de son ventre tendu, elle sent battre les cœurs de ses bébés et ce rythme rapide la galvanise.

Ses bébés vont bientôt arriver, elle le sait, comme elle sait que cette course sera sa seule et unique chance de les sauver.

Cette femme qui court dans la forêt pour sauver ses enfants s'appelle Kalinka. Kali, pour ses amis.

Elle n'a que vingt-quatre ans et cela fait huit mois maintenant que les Enfants d'Enoch l'ont enlevée et la tiennent enfermée.

Elle n'a jamais compris comment ils avaient su qu'elle était enceinte, mais ils l'avaient su et Vitali n'avait pas pu la protéger.

Pourtant, au début, Kali avait espéré, espéré que Vitali la retrouverait et la tirerait de leurs griffes… mais personne n'était venu et elle avait dû se rendre à l'évidence, Vitali devait être mort : elle était seule et devrait sauver elle-même ses enfants, fuir avant leur naissance car après il serait trop tard.

Kali avait été patiente, elle avait joué la passivité, endormi la méfiance de ses geôliers et, enfin, tout à l'heure, elle avait réussi à étrangler l'infirmière de garde, à lui voler son passe et à s'échapper de la clinique où ils la retenaient prisonnière.

Mais il faut faire vite, car elle sait que dès qu'ils découvriront sa fuite ils se lanceront à sa poursuite.

Une première contraction la traverse comme une flèche et la jette au sol. Kali a le réflexe de rouler dans sa chute pour protéger son ventre et tombe sur le côté. Elle ferme les yeux, palpe son abdomen, sent les enfants s'agiter et soupire de soulagement.

– Tout va bien, murmure-t-elle en direction de son nombril.

Immédiatement, une vague de douceur caresse son esprit ; ce sont ses enfants qui lui répondent.

Kali inspire profondément.

L'odeur d'humus lui fait du bien mais elle ne peut pas rester là. Elle roule sur une épaule, pousse sur ses bras, se met à quatre pattes et tente de se redresser mais une deuxième contraction, plus forte que la première, la cloue à terre.

Elle s'évanouit.

Allongée sur le sol, la jeune femme ne bouge plus. Son visage blafard, sa blouse immaculée forment une tache laiteuse au milieu du bois sombre. On dirait une statue et on pourrait la croire morte si des bosses mouvantes n'ondulaient à la surface de son ventre.

Si elle reste là, les Enfants d'Enoch n'auront aucune difficulté à la trouver et ses bébés le savent.

Enlacés dans leur vaisseau amniotique les jumeaux joignent leurs mains, collent leurs fronts encore mous l'un contre l'autre et ouvrent leurs lèvres pour pousser un hurlement silencieux.

Leurs fontanelles palpitent au rythme de leurs cœurs minuscules. Ils sont concentrés.

Du plus fort jaillit une fumée aux ailes noires et au bec acéré.

Du plus faible s'extrait un corps mouvant d'un vert sombre et luisant.

Le vert chevauche le noir et ils s'échappent de l'abdomen distendu pour se perdre dans les ténèbres des sous-bois.

Ils volent au-dessus des cimes, plongent dans le moindre terrier, parcourent le fond des ruisseaux.

Ils cherchent de l'aide et finissent par la trouver.

Kali est réveillée par une langue râpeuse et chaude.

Un museau à la truffe fraîche lui souffle une haleine de charogne au visage ; c'est une louve dont le ventre distendu semble répondre aux soubresauts de ses enfants.

Kali n'a pas peur, elle sait que la bête est venue l'aider.

Les contractions ont cessé ; elle se relève et, accrochée à son pelage chaud, elle suit la louve dans la forêt.

L'animal n'hésite pas une seconde ; guidée par son instinct, elle l'amène à sa destination, celle que Kali voit en rêve depuis des nuits.

Entre les feuillages il y a une lueur, un feu de camp, des roulottes et une vieille dont les breloques dorées scintillent dans la pénombre.

L'aïeule chantonne.

C'est peu mais suffisant pour que Kali apprenne son langage, car Kali est polylangue. C'est son don depuis sa naissance, un don trop banal pour faire d'elle la grande Génophore espérée par les Enfants d'Enoch, mais qui a été suffisant pour qu'ils veuillent lui voler ses enfants.

Cachée derrière un arbre, appuyée contre la chaleur du pelage de la louve, il ne lui faut que quelques minutes pour assimiler le langage de la vieille.

Kali fait signe à la louve de rester en arrière et s'approche seule du feu.

La vieille ne sursaute pas. Elle est *Celle qui écoute* et c'est elle qui parle toutes les nuits dans les brumes du sommeil de Kali.

Il y a un mois que son peuple et elle ont quitté la Roumanie, un mois qu'elle sait que le Maître va se réveiller et qu'il a besoin qu'elle protège ses enfants.

La vieille sait ce qui doit se passer ce soir, c'est pour ça qu'elle n'est pas surprise quand Kali s'approche.

Elle voit le ventre énorme, la peur dans les yeux de la jeune femme qui s'avance, et sait qu'elle est celle qu'ils attendaient. Alors elle lui sourit comme à une vieille amie et lui fait signe de la rejoindre.

Kali s'allonge à ses côtés. Elle a compris que son temps est venu et qu'elle ne se relèvera pas.

Elle explique à la Tzigane qu'elle va donner la vie et qu'elle va mourir.

Elle veut que la vieille accepte de prendre ses enfants et de les cacher. Elle cherche un peu ses mots, bafouille, elle veut être certaine de faire le bon choix mais elle n'a pas besoin d'insister.

La vieille pose la main sur son front, lui dit qu'elle est justement là pour ça, pour cacher ses fils aux Enfants d'Enoch.

La Tzigane lui dit aussi que tout ira bien, que son peuple saura les protéger car c'est leur mission depuis des siècles.

En disant tout cela l'aïeule sourit et Kali sait qu'elle est au bon endroit, là où elle devait être et que tout n'est pas perdu.

Alors elle ferme les yeux et le travail commence.

Les enfants ont compris qu'ils devaient sortir, qu'il y avait urgence, alors les contractions se succèdent à une cadence infernale sans que leur mère lâche un cri.

Concentrée sur sa tâche la jeune femme utilise ses dernières forces pour expulser ses bébés, qui glissent hors de son corps dans un écœurant bruit de chairs écartelées.

Épuisée, Kali enlève la médaille d'or qui pend à une chaîne autour de son cou et la tend à la Tzigane :

– Pour le plus fort, dit-elle. Ne le garde pas près de toi, je veux qu'il ait une chance de grandir loin des complots… Dépose-le là où personne ne le trouvera jamais.

La vieille opine, saisit l'enfant blond aux yeux bleus, coupe son cordon et le noue d'un geste habile avant de l'enrouler dans son foulard et de le poser au sol.

Elle va pour s'occuper du deuxième mais n'en a pas le temps.

La louve s'est rapprochée.

D'un mouvement sec de la mâchoire la bête tranche le cordon du nouveau-né et se met à lécher l'enfant malingre qui y était rattaché.

— Celui-là ne s'en sortira pas seul. Garde-le, élève-le, supplie Kali.

La jeune femme aimerait prendre ses enfants dans ses bras mais elle n'en a plus la force ; elle peut juste plonger son regard dans les yeux bleus de son premier-né avant de se tourner vers les profonds yeux noirs de l'enfant à la louve.

Quelques secondes seulement et déjà tout se brouille.

Elle sent qu'elle part, que bientôt elle ne sera plus de ce monde, qu'elle ne sera pas là pour protéger ses enfants.

— Mes fils…

Kali agrippe le bras de la vieille ; elle veut la prévenir, lui dire ce qu'elle a découvert avant de s'enfuir.

— Les Enfants d'Enoch… mes fils, il ne faut pas…

La vieille Tzigane se penche, tend l'oreille, mais la voix de Kali n'est déjà plus qu'un souffle ténu qui se perd dans les murmures de la forêt.

Puis, plus rien.

Rien que les pleurs des enfants et le hurlement de la louve.

Kali s'est éteinte sans avoir le temps d'en révéler davantage.

Quand l'aube se lève enfin sur la clairière, celle-ci est vide. Nulle trace de feu, de sang, de cadavre et encore moins d'enfants. C'est comme s'il ne s'était rien passé.

Les Tziganes savent depuis toujours utiliser leurs dons pour courir dans l'ombre et effacer leurs traces et les Enfants d'Enoch auront beau retourner la forêt, ils ne les retrouveront pas.

Jamais ils ne feront la relation entre leur prisonnière évadée et le cadavre de femme, à moitié dévoré par des loups, découvert par des gendarmes à quatre cents kilomètres de là.

Jamais ils ne comprendront que le nouveau-né déposé le même jour sur les marches de la petite église du village d'Épailly est un des Génophores qu'ils attendent depuis plus d'un siècle.

Dans le bureau de verre d'où il dirige son empire, Karl Báthory de Kapolna hurlera longtemps contre son personnel incapable. Mais il aura beau tempêter, dépenser des fortunes, ses recherches n'aboutiront à rien.

Grâce à *Celle qui écoute*, Kali a réussi à lui échapper et à protéger ses enfants.

**Vingt ans plus tard...
de nos jours.**

Kassandre

30 avril
Suisse
Hôtel particulier des Báthory de Kapolna

« Selon une source proche de l'OMS les 79 habitants d'un village au sud de la frontière du Gabon auraient été retrouvés morts par une équipe d'humanitaires sans que la cause exacte de leur décès puisse être établie avec précision. Le seul rescapé, un enfant de six ans, aurait été transféré à Libreville pour être pris en charge par une équipe médicale dépêchée spécialement sur place par les laboratoires suisses de Biomedicare. Les autorités redoutent un retour d'Ebola qui... »

Je coupe la télé sur une image de charnier insoutenable et balance la télécommande sur le canapé. Si c'est pour entendre des nouvelles aussi pourries je n'ai pas besoin des infos, j'ai déjà tout ce qu'il me faut à la maison. Bon, c'est sûr, je ne suis pas en train de me décomposer au fin fond du Gabon suite à je ne sais quel nouveau virus foudroyant mais, vu ce qui m'attend, j'estime que j'ai de bonnes raisons de me plaindre !

Aujourd'hui, je vais avoir seize ans et c'est le PIRE jour de ma vie, parce que pour l'occasion Mère a prévu un bal pour me *lancer* dans le grand monde.

D'ailleurs, quand je me regarde dans le miroir de mon dressing, je me dis que c'est vraiment marrant que Mère utilise ce mot parce que c'est exactement la sensation que j'ai : celle d'être lancée contre un mur en béton à grande vitesse sans pouvoir empêcher l'impact.

– Non mais regardez-moi ce boulot ! À quoi je ressemble moi maintenant !

Je râle mais, franchement, il y a de quoi.

Ça fait des heures que tout un tas de monde s'occupe de moi comme si j'étais une poupée et maintenant que je peux enfin me voir dans une glace le résultat est à la hauteur de ce que je redoutais : une vraie catastrophe !

Je ne sais pas qui est cette gonzesse qui me regarde dans le miroir mais, une chose est certaine, ce n'est pas la Kassandre que je connais.

Rien de ce qui fait mon vrai moi n'a été épargné : exit le cuir noir, les cheveux en bataille et le maquillage blafard. La longue robe dont je suis affublée a beau dévoiler un max de chair, pas un de mes tatouages ne transparaît, la tête de taureau de mon épaule gauche est planquée sous une manche en dentelle ; le *No Future* de ma nuque a disparu sous un chignon bas ; quant au 666 de mon poignet, il est bien camouflé sous une très chic manchette en argent. Même les trous de mes piercings ont été rebouchés à grand renfort de fond de teint et, moi qui ne mets jamais de soutif, l'engin de torture que Mère m'a obligée à porter me fait des nibards droits comme des missiles !

Rien à dire, c'est du beau boulot et je sais que mes parents vont être contents : pour la première fois de ma vie je suis une FILLE ! Manque plus que la pancarte « Je suis prête pour la reproduction » et je serai au top.

Le verdict est sans appel : je ressemble à une vraie pétasse de conte de fées.

Moi, enfin, le moi qui est caché dans le corps de la poupée sophistiquée que je vois grimacer dans le miroir, c'est Kassandre. Kassandre avec un K parce que, dans ma famille, c'est comme ka... enfin, comme ça.

Je suis la fille de Karl, la petite-fille de Kassiopée, l'arrière-petite-fille de Kasimir, l'arrière-arrière-petite-fille de Kirstin... et j'arrête là parce que je suis certaine que vous avez pigé le concept, mais j'aurais pu vous faire la liste quasi jusqu'à l'arche de Noé !

Oui, je sais, c'est flippant mais c'est ma vie ; comme me le serine sans arrêt ma mère, je suis une « aristocrate », j'ai « un rang à tenir » et que je n'en aie pas envie ne change rien à l'affaire.

Depuis que je suis née on me répète que j'ai « un destin », « des obligations envers mon sang » et tout un tas d'autres âneries moyenâgeuses ; sauf que j'ai vérifié et que non seulement mon sang n'est pas bleu, mais en plus quand je chie c'est bien de la merde qui sort, pas du caviar ou des pierres précieuses, ce qui fait que je ne vois pas pourquoi je serais différente des autres et j'aimerais VRAIMENT qu'on me lâche avec cette histoire car, moi, la seule impression que j'ai, c'est d'être en prison !

J'en n'ai rien à faire d'être une *contessina* et que la reine d'Angleterre soit ma cousine au cent quatre-vingt-septième degré ; ce que je veux c'est qu'on me foute la paix, qu'on me laisse aimer qui je veux, écouter ma musique tranquille et frapper mes caisses jusqu'au bout de la nuit… mais *a priori* devenir batteuse metal, dans ma famille, ce n'est pas possible.

Je tire la langue à l'inconnue qui me fait face dans la glace et dresse mon majeur bien haut dans sa direction :

– Tu ne m'auras pas, Cendrillon, profite bien de ta soirée parce que dès demain *I'M BAAACKKK*, je gueule de la voix caverneuse que j'ai appris à faire en imitant mes groupes de dark préférés.

Avec la couche de fond de teint que j'ai sur le museau c'est à peine si j'arrive à former une ride sur mon front et j'ai beau sortir ma langue, loucher et rouler des yeux fous, je ressemble toujours autant à une saleté de Barbie.

OK, une Barbie sous acide en proie à un délire hystéro… mais une Barbie quand même. Alors je beugle encore plus fort jusqu'à ce que les veines de mon cou deviennent aussi épaisses que mon petit doigt et que la sueur commence à perler sur mon front emplâtré.

Je n'aurais pas dû car, alertée par mes hurlements, Mère débarque *illico* dans ma chambre.

– Kassandre ! Arrête ça tout de suite ! N'oublie pas ce que tu nous as promis. De la tenue ma fille, sinon c'est la pension !

Karolina, ma mère… enfin à ce qu'il paraît.

Je sais que je devrais l'aimer, mais rien à faire, je n'ai jamais réussi à trouver ce qu'on avait en commun et quand je regarde son corps maigrissime d'alcoolique anorexique emballé dans des fringues haute couture, je dois me pincer pour me convaincre que j'ai pu, un jour, exister dans son utérus.

Comme je vois son reflet s'agiter dans le miroir, je sais qu'elle rajoute tout un tas de trucs chiants à propos de moi mais je n'écoute pas et me contente de regarder les mouvements que font ses lèvres siliconées en pensant à Donald Duck ; parce que quand ma mère me parle c'est ce que j'entends : le bla-bla incompréhensible du canard de Disney.

Du coup, je pense à autre chose et je comprends enfin ce qui me dérange depuis tout à l'heure : sans mon cuir noir, mes clous et mon maquillage j'ai perdu mon armure, j'ai l'impression d'être à poil dans la peau d'une autre et c'est l'horreur.

En fait, j'ai un peu honte de me l'avouer mais j'ai peur.

Peur de ce fichu bal et de ceux qui m'attendent en bas : toute la jeunesse bien née d'Europe, deux cent vingt-deux personnes exactement.

Je le sais car en me concentrant je peux compter les battements de leurs cœurs, je peux même distinguer ceux de mon père, plus lents, plus froids.

D'ailleurs, si je me concentrais vraiment, je pourrais même savoir où chacun d'eux se trouve et distinguer les filles des garçons. Mais je ne perds pas mon temps avec ça car je sais déjà le principal, ces abrutis sont réunis pour juger si je suis digne d'appartenir à leur caste et je sais ce qui m'attend : ils vont tous me détester, probablement autant que, moi, je les déteste déjà.

Mère se fait des illusions, elle est persuadée que grâce à son bal je vais « rentrer dans le rang » et me faire « de saines relations » ce qui, dans son vocabulaire, est à traduire par « trouver un futur mari ». Un vrai trip Cendrillon avec ma gueule dans le rôle du prince à marier !

— Kassandre ! Tu m'écoutes au moins ? Tu sais que ton père ne plaisante pas : si tu fais encore des tiennes tu files *illico* en pension et tu peux dire adieu à ta batterie !

Je hoche la tête et lui marmonne ce qu'elle veut entendre.

Je suis prête à tout pour qu'elle se tire et me foute enfin la paix ; après tout, même les condamnés à mort ont le droit à une dernière volonté, non ?

— Et Mina ? Pourquoi tu ne la laisses pas venir avec moi ? Je vais avoir l'air débile à descendre le grand escalier toute seule… on n'est pas aux Oscars, Mère, c'est juste mon anniversaire !

En entendant le prénom de Mina, Mère grimace, je n'ai jamais compris pourquoi elle faisait cette tête à chaque fois qu'elle nous voyait ensemble, mais elle est tellement snob qu'il est probable qu'elle ne supporte pas l'idée que je sois si proche de la « fille d'une domestique ».

Mina, c'est ma seule amie, mon âme sœur, la femme de ma vie ; elle est née quelques heures avant moi dans la même clinique et sa maman est devenue ma nourrice ; la mienne de mère voulait que je sois élevée au sein… mais pas aux siens car ils lui avaient coûté trop cher. Du coup elle avait embauché la mère de Mina pour me nourrir à sa place, ce qui fait que jusqu'à l'âge de cinq ans j'étais persuadée que c'était ELLE ma maman, et pas la dame parfumée qui passait me voir de temps en temps à l'étage de la nursery.

Par extension, Mina est devenue ma sœur et nous ne nous sommes jamais quittées.

Pour que j'accepte de venir à son stupide bal, Mère, en plus des menaces, m'avait donc promis que « Michelle-Anne » pourrait venir.

Perso, la fête, j'en ai rien à battre mais Mina, elle, j'ai bien vu que ça lui faisait super plaisir d'y aller… alors j'ai cédé et c'est pour ça que je me retrouve déguisée en princesse pour affronter la foule.

Mère ne répond pas, alors j'insiste :

– Elle est où Mina ?

– Michelle-Anne circule déjà parmi les invités ; elle est bien trop occupée pour le moment. Tu la verras quand tu te décideras enfin à rejoindre tes hôtes, grimace ma mère en désignant la porte d'un coup de menton agacé.

Je n'ai plus le choix.

De toute façon je sais que ma mère me dit la vérité. Mina est déjà dans le grand salon ; j'entends son cœur qui bat la chamade, si chaud au milieu des autres.

Même si… Je me fais peut-être des idées, mais j'ai l'impression que son rythme cardiaque n'est pas comme d'habitude.

Quelque chose ne va pas.

Je respire un bon coup et me retourne vers ma génitrice. C'est l'heure de la pommade.

– Merci d'avoir accepté que Mina vienne à mon anniversaire.

Mère sourit.

– Bien sûr, une promesse est une promesse ma chérie. Nous pouvons y aller maintenant ?

Je hoche la tête et lui fais signe de passer devant.

Le grand escalier est à plus de cinquante mètres de ma chambre. Après la pénombre du couloir, la lumière des lustres qui font scintiller leurs milliers de pampilles de cristal me blesse les yeux ; j'ai l'impression d'arriver en enfer, mais je pense à Mina qui m'attend et ça me donne suffisamment de courage pour m'approcher du grand escalier.

Une espèce de débile déguisé en laquais aboie mon nom en direction de la foule :

– Contessina Kassandre Báthory de Kapolna.

Les murmures disparaissent sous des applaudissements polis tandis que je m'avance sur le palier qui surplombe la grande salle de bal et m'offre en pâture aux regards.

Pas de surprise : des mecs en smoking vérifient si je suis à leur goût pendant que les nanas jaugent la concurrence.

Mon majeur me démange ; j'ai tellement l'impression d'être une pouliche avant des enchères que pendant une seconde j'ai envie de me mettre à hennir… mais je me contiens et me contente de loucher le plus possible dès que je croise un regard.

Je sens les phalanges osseuses de ma mère me pousser légèrement en avant et capte le message cinq sur cinq : il est temps pour moi de rejoindre l'arène.

Je soulève ma robe à deux mains pour éviter de me vautrer dans le grand escalier. Mère hoquette en découvrant que j'ai gardé mes Dr. Martens sous ma robe haute couture et j'en entends quelques-uns ricaner ; mais je m'en fous, je balaye la salle des yeux à la recherche de Mina… et je finis par la trouver.

Sauf que ce que je découvre manque de me faire rater une marche.

Georges

30 avril
France, Loire
Centre de détention de Roanne

Je somnole à moitié dans mon coin de béton, pendant que les mauvaises nouvelles du monde qui sortent de la radio de Nessim glissent sur mon cerveau comme des gouttes d'eau sur du papier huilé.

Il est question d'un village décimé par une épidémie au Gabon et d'un pauvre môme de six ans, seul rescapé, envoyé en Suisse pour que des savants puissent comprendre pourquoi il a, lui, survécu à la fièvre hémorragique. Penser à ce gamin, seul et terrifié, me rappelle mon enfance et je n'aime pas ça.

– Nessim ! Tu ne veux pas nous mettre de la musique plutôt ? Qu'est-ce que tu en as à faire de ce qui se passe au Gabon, je suis sûr que tu ne sais même pas où c'est !

Regard chagriné de mon compagnon de galère.

– Tu plaisantes ? Nos Lions de l'Atlas leur ont collé un 6-0 de folie en 2006… une victoire aussi éclatante, ça ne s'oublie pas.

Je referme les yeux. Même si Nessim est un vrai dico quand il s'agit de foot, je reste certain qu'il est incapable de placer le Gabon sur une carte… mais je sais aussi que c'est inutile de lui demander de changer de fréquence avant la fin des infos. Ce n'est pas que ça l'intéresse, c'est juste qu'il aime la voix sexy de la journaliste et que, en prison, les motifs de rêverie sont rares…

Pas de bol pour lui, c'est le moment que choisit un gardien pour débarquer dans la cour et couper la voix chaude de son fantasme en beuglant :

– Georges d'Épailly ! Visite !

En entendant mon nom, Nessim se marre.

Pas moi.

Georges d'Épailly c'est peut-être ce qu'il y a d'écrit sur ma carte d'identité mais je déteste qu'on m'appelle comme ça et, habituellement, personne ne s'avise de faire des choses que je déteste. Enfin, à moins d'être complètement con, ou suicidaire, ou les deux…

Ici, je suis juste Georg, tout court, sans *e*, à la slave. Un prénom qui tabasse, que tu peux cracher en un seul souffle, comme un coup de poing. Un prénom qui fait mal… pas un nom de vieux comme « Georges d'Épailly », qui n'évoque rien d'autre qu'une tasse de thé à cinq heures ou un prince de mes deux.

Georg. Ça fait plus de huit ans que je suis Georg, car lui, il fait peur et c'est bien la seule vérité qui importe dans mon monde.

Que ce soit dans ma cité ou en prison, la peur que tu inspires est souvent la seule chose qui fait la différence entre mourir et rester vivant alors mon prénom, je l'ai choisi et j'y tiens.

– Georges d'Épailly ! Parloir !

Le gardien hurle dans la cour comme s'il cherchait à gagner un concours mais personne ne bronche. C'est un nouveau, il ne m'a pas repéré alors je fais celui qui n'a pas entendu.

De toute façon je ne vois pas pourquoi je me lèverais. Depuis dix-huit mois que je me suis fait arrêter en plein *go fast*, pendant un transfert de drogue à 230 km/h entre la France et l'Espagne, personne n'est jamais venu me voir, et je refuse de répondre à ce nom que je déteste. À part mon avocat, le juge ou les flics, ça fait un paquet d'années que plus personne n'ose m'appeler ainsi et ce n'est pas aujourd'hui que ça va changer.

Je garde les yeux fermés et tourne un peu plus mon visage vers le pâle soleil de printemps en espérant, bêtement, que le gardien laisse tomber.

« Le car des vingt touristes disparus au Congo depuis dix jours vient d'être retrouvé par hasard au nord des montagnes du Virunga par des membres de l'Association Congo Environnement. Selon les membres de l'équipe, présents sur place pour évaluer l'impact de l'ouverture d'une nouvelle zone d'exploitation forestière sur la biodiversité de la région, les touristes semblent tous morts à la suite d'un empoisonnement ou d'une maladie foudroyante. Le professeur Biyaenda, directeur de l'expédition, décrit

l'intérieur du bus comme "une scène de cauchemar...
comme si chaque occupant avait été liquéfié sur place, vidé
de sa substance"... »

Nessim n'a pas tort, malgré les horreurs qu'elle
balance, cette journaliste a une voix vraiment torride.

– Hé ! Je te parle ! C'est bien toi Georges d'Épailly,
non ?

Nessim proteste et je devine que ce n'est pas lui qui
vient de couper la radio.

Ça ricane dans la cour.

Le soleil que je sentais sur ma peau est remplacé par
l'ombre froide du gardien.

J'aimerais continuer à l'ignorer mais il s'est appro-
ché trop près, il a dépassé le cercle de respect. Ici c'est
compris comme une provocation et ne pas réagir ferait
de moi un lâche.

Impossible.

Alors je me lève.

– Je m'appelle G.E.O.R.G., j'épelle en scandant
chaque lettre d'un bon coup d'index sur son front.
C'est bon ? T'as pigé ou t'as besoin que je te fasse réci-
ter l'alphabet ?

Ma poitrine frôle son menton et le gardien est obligé
de lever la tête pour me regarder dans les yeux. C'est un
nouveau, il ne m'a encore jamais vu déplié et, au mouvement convulsif de sa pomme d'Adam, je sens qu'il
regrette déjà d'être ici.

– Alors ? t'as pigé ? je répète en appuyant mon index
sur son front.

L'apprenti maton hésite, pas loin de la panique.

Je ne bouge pas et observe sa main qui tremble à deux doigts de sa matraque.

S'il l'attrape, ça va dégénérer.

S'il s'écrase, sa gueule de furet restera intacte mais il sera classé à tout jamais dans la catégorie des couilles molles. Mauvais début pour un gardien.

Il le sait mais il a trop peur pour réagir.

Je ne dis plus rien.

Mon index reste collé à son front et le manège de ses doigts devient convulsif. J'y vais ? J'y vais pas ? semble dire le balancement de ses phalanges à quelques millimètres de la surface en caoutchouc noir de sa matraque.

La panique le fait transpirer. L'odeur de sa peur qui se répand dans la cour fait monter la pression d'un cran.

Tous les regards sont braqués sur nous comme autant de flingues prêts à décharger ; depuis les émeutes du mois dernier tout le monde est à cran alors, au moindre mouvement du gardien, ce sera le bordel.

Plus personne ne bouge mais le silence qui commençait à s'étendre sur la cour est brisé par le grincement de la porte principale.

Nessim ricane :

– Voilà la cavalerie…

Du coin de l'œil je vois le gardien-chef s'approcher.

Depuis le temps que je suis là, il sait très bien qu'il ne faut jamais m'appeler par mon nom de baptême. Pourtant, à voir son léger sourire et la rangée de gardiens qui se marrent sur le chemin de ronde, je comprends subitement qu'il a volontairement donné ce nom au nouveau pour le bizuter.

– Allez Georg, arrête ton cinéma et ramène tes fesses. Pour une fois que tu as de la visite tu ne vas pas finir en isolement ? À quinze jours de ta sortie ce serait trop bête, ajoute-t-il en mettant son Taser bien en évidence.

Fin de la partie. Je ne suis pas maso et je sais très bien quand je n'ai plus les bonnes cartes.

J'enlève mon doigt du front gluant du jeune gardien, et l'essuie lentement sur sa chemise.

– Je ne connais personne et ne parle pas à ceux que je ne connais pas, je grogne en me rasseyant.

Nessim en profite pour rallumer sa radio.

Ça devrait clore le débat mais, contre toute attente, le chef revient à la charge.

– Oui, j'ai bien compris le principe ; mais là c'est pas une invitation. C'est le directeur lui-même qui nous a demandé d'aller te chercher et ça veut dire que c'est un ordre. Alors tu dis au revoir à tes petites camarades et tu me suis sans traîner… *Georges*.

Mon prénom sort de sa bouche comme un crachat.

Je relève la tête en soupirant et croise son regard ; le chef sait très bien ce qu'il fait, et je saisis enfin que la rangée de gardiens attroupés sur le chemin de ronde n'est pas là que pour le bizutage de l'autre idiot : ils sont aussi là pour me voir en prendre une. Je suis l'attraction du jour.

Je n'ai plus le choix mais je connais assez les règles pour savoir comment atténuer ma peine : il faut que le gardien frappe en premier et que ce soit suffisamment clair pour que personne ne puisse le contester ; vu le nombre de témoins autour de nous j'ai mes chances mais, avec un vieux de la vieille comme le gardien-chef, la chose est plus facile à dire qu'à faire... En dix-huit mois, si je l'ai souvent vu nettoyer sa matraque sur les maxillaires des prisonniers, il n'a jamais donné le coup d'envoi du match.

Dans la catégorie « ordure », ce type est un champion, mais cette fois-ci il a mal choisi son adversaire. Pour ce qui est des trucs dégueulasses je suis hors concours. Moi j'ai une botte secrète, une malédiction bien pratique mais qui m'a valu tellement d'ennuis que je m'étais juré en arrivant ici de ne plus l'utiliser. Mais est-ce que j'ai le choix ?

Évidemment, « Georges d'Épailly » pourrait s'écraser. Georges, oui... mais pas Georg.

Dans quinze jours, je sors et j'ai bien l'intention de trouver une meilleure place dans l'organisation. Fini les cambriolages minables, les casses à deux balles et les deals de seconde zone.

J'ai fait mes preuves : une cavale avec un coffre rempli de dope depuis l'Espagne, une arrestation si musclée que les trois flics que j'ai envoyés au tapis s'en souviennent certainement et dix-huit mois de cabane sans balancer un seul nom ! Dehors, Georg s'est fait un nom, alors il est hors de question que « Georges d'Épailly » vienne tout gâcher.

J'ai payé pour cette réputation, mais si je m'écrase devant ce minus elle va en prendre un sacré coup.

Putain de merde !

Pendant quelques secondes je me demande si ça en vaut vraiment la peine et pèse le pour et le contre :

Soit je laisse courir et je me fais appeler « Georges » par tous les losers de la prison.

Soit je cogne en premier et j'en reprends pour six mois.

Soit je réveille ma bête noire et je m'en sors avec les honneurs…

J'en conclus que je n'ai pas le choix.

D'un simple soupir, je libère les filaments noirs, les lambeaux gluants et chuintants qui tapissent mon esprit et que je déroule à volonté.

Personne à part moi ne peut voir ces fils obscurs.

Deux cent trente-trois jours que je les contiens, deux cent trente-trois jours que je lutte pour garder la bête enfouie au plus profond de mon esprit et l'empêcher de nuire.

Deux cent trente-trois jours foutus en l'air par ce crétin de gardien-chef.

Comme celles d'un alcoolique en manque, mes mains tremblent pendant que je me glisse dans son esprit, m'infiltre dans les recoins nauséabonds de son cerveau, jusqu'à dénicher et me repaître de ses pires phobies.

J'aspire les terreurs de son enfance, je brise les concrétions de ses cauchemars sans nom.

Le plaisir est intense, et j'avale cette première gorgée de peur avec délectation.

Depuis le temps que je pratique, j'ai appris à maîtriser mes lambeaux de pouvoir, mais après tant de jours d'abstinence la douleur est immense, grandiose.

Comme toujours, l'espace d'un instant mes yeux bleus deviennent noirs et je devine au hoquet de surprise du gardien qu'il me sent ramper dans son cerveau.

Une seconde, il me suffit d'une seconde pour dessiner le contour de ses peurs, voir la haine de son père, les coups de ceinture, les brimades, et sa honte de l'aimer quand même après chaque caresse.

Comme à chaque fois les images viennent d'un seul coup, violentes, crues, hurlantes et sa souffrance se déverse en moi comme du plomb fondu dans un creuset de balle ; une balle que je vais projeter vers lui pour le faire exploser.

Rassasiée, ma bête noire se détache de son cerveau.

J'ai envie de gerber.

Moi seul entends les synapses claquer en un bruit de succion immonde ; moi seul peux voir les filaments obscurs gorgés de ses hontes, repus de ses terreurs, s'enrouler dans mon âme et déverser leur tribut.

Le gardien-chef ne voit rien, n'entend rien mais hoquette de dégoût, paralysé par ce qui vient de le souiller.

Je me déteste mais je ne peux pas avoir fait tout ça pour rien. Alors mes yeux redevenus bleus s'enfoncent dans les siens et j'attaque :

— Suce ma queue Raoul, elle est moins bonne que celle de ton père mais je suis certain que tu l'aimeras autant.

J'ai à peine murmuré, lui seul peut m'entendre.

Son visage devient blanc, ses pupilles rétrécissent et, l'espace d'une seconde, toute sa terreur d'enfant s'affiche dans son regard.

Il tremble.

L'odeur âcre de sa sueur envahit l'air autour de nous tandis que le flic-floc régulier de son urine goutte sur ses souliers cirés.

Il rougit. Ses yeux fous tournent convulsivement dans leurs orbites et il se jette sur moi pour me saisir à la gorge en hurlant.

Desserrer ses mains et le repousser ne me prend qu'une seconde.

Tout le monde l'a vu se jeter sur moi.

Maintenant je pourrais l'étaler... mais ce que j'ai vu dans son esprit me retient.

L'enfant a effacé le gardien.

Je laisse faire et la décharge de 220 volts ne tarde pas.

Je glisse au sol en sursautant convulsivement pendant que la voix chaude de la journaliste débite encore plus de mauvaises nouvelles du monde à mon oreille.

Fin de partie.

Kassandre

30 avril
Suisse
Hôtel particulier des Báthory de Kapolna

Fidèle à son habitude, Mère n'a *presque* pas menti et je comprends enfin pourquoi elle avait tant insisté pour s'occuper de la tenue de Mina : car si mon amie est bien parmi les invités… elle porte un uniforme noir et blanc et fait le service avec les autres filles embauchées pour l'occasion.

Quand je la découvre, perdue au milieu de la foule avec son plateau à la main, j'ai le cœur en miettes et je pile net au milieu de l'escalier.

Mère me prend fermement le coude et murmure à mon oreille :

– Souris et avance ma chérie, ton père t'attend.

Je repousse violemment sa main. Je pourrais la tuer pour ce qu'elle vient d'oser faire et j'envisage deux secondes de la pousser dans les escaliers mais, juste à ce moment-là, Mina redresse la tête et me fait signe de laisser tomber.

Ses lèvres bougent en silence : « *Fuck them all* », articule-t-elle en souriant tandis que, discrètement, sa main libre forme les cornes du diable.

Son geste n'échappe pas à ma mère qui en profite pour persifler.

— Tu vois, Kassandre, même ton amie sait où est sa place, alors cesse immédiatement tes gamineries et avance !

Je bouillonne mais me laisse traîner comme la poupée qu'ils ont faite de moi.

Je ne dis rien, traverse l'armée de pingouins et de meringues qui m'entourent en me disant que ce n'est pas vraiment moi, que c'est juste une représentation, que je dois jouer un rôle… mais au fond je sais que je n'y arriverai pas.

Pas après ce que ma *chère* mère vient de faire à Mina.

Je fends la foule dans un brouillard compact.

En automatique je me conduis comme on m'a appris à le faire, mais chacun de mes sourires est un crachat, chacune de mes paroles est une insulte.

Je les hais. Tous.

Il faut qu'ils payent et tout à coup, en sentant mon iPod au fond de la pochette lamée ridicule que Mère m'a obligée à prendre, je sais ce que je dois faire.

J'étais là quand ils ont installé la sono et je sais que tout est relié au système de domotique de la maison… système auquel j'ai un accès illimité !

Au lieu de rejoindre Père au centre du grand salon pour ouvrir le bal, je me dirige vers la scène où est installé l'orchestre.

Mère est coincée par un invité.

J'en profite pour me connecter et saisir le micro comme si j'allais faire un discours.

Le silence s'installe.

Tous les yeux se tournent vers moi.

Mère est plus blanche que ses cachets d'antidépresseur.

La peur a changé de camp et je sens, enfin, que cette soirée va être géniale.

J'appuie sur *play* et le morceau *Desolation* de Lamb of God jaillit à fond de toutes les enceintes de la salle.

Quand la batterie à débit de mitraillette du groupe de metal commence à hurler dans les enceintes, le souffle est tellement puissant que je sens mes cheveux s'électriser.

J'arrache les épingles de mon chignon, libère ma tignasse peroxydée et déchire ma robe à grands coups d'ongles rageurs tout en hurlant les paroles de la chanson de Randy Blythe, qui me fait tellement penser à mes parents.

Je bondis sur la scène au milieu de l'orchestre de musique classique complètement scotché ; je hurle à m'en péter la voix et les mots se chevauchent, se précipitent hors de ma gorge dans un grognement sourd de tonnerre. Ma tête tourne comme une toupie, mes cheveux blonds dansent autour de moi comme des ailes de chauve-souris.

Chaque note me pénètre, chaque hurlement me rend plus forte.

Pendant les quatre minutes vingt-six du morceau je ne suis plus qu'une pulsation sourde et violente, un rythme qui bat au cœur du monde souterrain et imprègne la moindre de mes cellules.

Je suis VIVANTE.

Quand la musique s'arrête j'écarte les bras vers le ciel, doigts cornus pointés vers le plafond, et je hurle une dernière fois à pleine gorge avant d'admirer mon œuvre.

Le choc provoqué par ma prestation sur Lamb of God est cataclysmique et le silence qui s'est abattu sur le grand salon est aussi dense que du mercure.

Aucun invité n'ose bouger, mais je sais que cet instant de grâce ne durera pas car Père murmure déjà des consignes dans son portable.

Il me reste une dernière chose à faire.

Je saute de l'estrade et traverse le salon en direction de mon âme sœur.

La foule s'écarte devant moi et Mina m'apparaît enfin, solaire sous son auréole rousse que la minuscule toque blanche de bonniche n'arrive pas à dompter.

Avec ma robe en lambeaux, mes cheveux en bataille et la sueur qui a dû faire couler mon maquillage, je sais que j'ai l'air d'une folle, mais ce que je lis dans les yeux de Mina me dit tout le contraire et rien d'autre n'a d'importance.

Son plateau tombe au ralenti pendant que je l'attire contre moi et que j'embrasse délicatement ses lèvres sans détacher mes yeux des siens. Des yeux vert émeraude à la profondeur d'un lac irlandais.

Dans ma main je sens ses doigts chauds enserrer ma paume avec force.

Mina, ma Mina qui a recommencé à sourire et qui me désigne la double-fenêtre donnant sur le parc en esquissant un clin d'œil.

Fuir ! Depuis le temps qu'on en parle, depuis le temps qu'on en rêve.

C'est de la folie pure, mais après ce que je viens de faire ça ne risque pas d'être pire.

Les hommes de main de Père se faufilent discrètement à travers la foule. Si nous voulons nous échapper, c'est maintenant ou jamais.

– Je t'enlève ? je murmure à Mina sans lâcher son regard.

Si elle me dit non je sais que je laisserai tomber, mais je vois son menton s'abaisser légèrement avant de remonter doucement et je prends ça pour un oui.

Les gros bras se rapprochent dangereusement, il n'y a plus une seconde à perdre.

– C'est le moment de leur prouver qu'on ne fait pas de l'athlétisme pour rien, je lui glisse en désignant la fenêtre.

Mina hoche à nouveau la tête.

Mon cœur bat à cent à l'heure, je sens l'adrénaline se déverser à flots dans mon organisme et, avant que quiconque puisse réagir, nous bondissons vers la porte-fenêtre et disparaissons dans la nuit.

journal de Mina

1ᵉʳ mai
2 heures du matin

Ka dort comme un bébé sur le siège arrière de la voiture.

Je ne sais pas comment elle fait.

Après ce qui s'est passé, après ce que nous venons de faire – ridiculiser ses parents aux yeux de leurs amis, sauter par la fenêtre et voler une des Bentley de son père –, je ne comprends même pas qu'elle puisse fermer les yeux. Personnellement, l'adrénaline déborde tellement de mes veines que je pense que je pourrais rester une semaine sans dormir, mais Ka… non.

Elle est comme ça, Ka, elle ne réfléchit pas, elle fonce et écrase tout sur son passage sans penser aux conséquences.

À ceux qui lui disent qu'elle est inconsciente, elle répond systématiquement qu'elle est plutôt trop consciente ; trop consciente de l'absurdité, de la violence et de la brièveté de la vie.

Franchement, ce qu'elle peut m'énerver quand elle tient ce discours !

J'adore Ka, vraiment, c'est ma sœur, mon double, ma seule véritable amie mais parfois son côté petite fille pourrie gâtée me désespère. Elle est belle, intelligente, riche, cultivée et pourtant je ne connais personne de plus torturé qu'elle... à part moi peut-être. Sauf que moi je ne le montre pas, car nous avons beau avoir été élevées ensemble, nous avons beau avoir entremêlé nos doigts dans le même berceau, aspiré le lait des mêmes tétons, nous n'appartenons pas au même monde... et l'épisode de ce soir l'a encore démontré.

Pour le monde entier Ka est une princesse, la fille du grand patron de Biomedicare, le roi des vaccins, le richissime maître incontesté de la thérapie génique... et moi je ne suis qu'une bonniche, fille d'une bonniche et de père inconnu.

C'est comme ça et Ka a beau dire que ça n'a pas d'importance, je sais qu'elle se trompe.

5 h 40

La lune rousse a disparu très loin vers l'ouest en emportant avec elle les lambeaux de nuages sanglants qu'elle traînait dans son sillage ; on ne doit pas être loin de l'aube car je commence à voir les arbres qui nous entourent de plus en plus distinctement ; les branches épineuses se découpent comme des membres tordus dans la brume blanchâtre et me font penser à la pochette d'un des groupes préférés de Ka, sans que je puisse dire laquelle exactement... *Under the Sign of the Iron Cross*, de God Dethroned ? À moins que ce soit celle de *Bud Av Krieg* de Giktor Velu, avec sa planète lunaire et son arbre mort ?

Comment s'y retrouver au milieu de ces milliers d'albums ? Ka a beau m'en parler avec passion j'avoue que souvent j'ai du mal à voir la différence entre ceux qui crient fort, ceux qui crient super fort et ceux qui crient tellement fort qu'on a envie de les achever...

De toute façon, bientôt ce sera le matin et cette folle escapade prendra fin ; il faudra rentrer et je préfère ne pas penser à l'accueil qui nous sera réservé.

Ka grogne dans son sommeil en faisant cette moue délicieuse que je lui connais depuis toujours ; une moue de gros bébé boudeur... et malpoli, car j'entends tout à coup le mot « salope » jaillir de ses lèvres.

Je rigole ; Ka pense à Karolina et ce n'est pas une surprise, car Ka pense toujours à elle.

Si elle avait murmuré « connard », ça aurait été pour Karl, car quand Ka ne râle pas contre sa mère... elle dégueule son père !

Pour quelqu'un qui se prétend « libre » et « autonome », qui hurle contre « la tyrannie familiale », c'est marrant de voir les heures qu'elle perd à parler d'eux ; mais je préfère ne pas lui faire remarquer.

Bon, en même temps je reconnais qu'à part leur phénoménale fortune, ses parents ne sont pas un modèle à suivre : entre sa mère alcoolique qui plane aux antidépresseurs la moitié du temps et son père qui passe sa vie à bosser, c'est certain qu'ils ne sont pas près de remporter la palme des parents de l'année. Mais tout de même, il faudrait que Ka comprenne que le but de sa vie ne peut pas être que de les emmerder !

D'ailleurs ça me fait penser qu'il faudra que je lui reparle de cette histoire de baiser.

J'ai bien compris qu'elle m'avait embrassée pour clôturer son show en beauté, mais j'aimerais bien que ça ne devienne pas une habitude. Je ne sais pas ce qu'elle a dans la tête depuis quelque temps mais je refuse qu'elle m'utilise contre ses parents. Si, en plus de sa passion pour le metal et les tatouages, Ka décide d'ajouter la carte gay à sa panoplie spéciale « j'emmerde ma famille », il faudra qu'elle se trouve une autre copine.

J'ai un peu froid, mais pour mettre le chauffage il faudrait que je trouve le bon bouton et j'ai peur de réveiller Ka.

J'ai bien essayé tout à l'heure, mais le seul truc que j'ai réussi à démarrer ça a été la radio. Le temps que je réussisse à la couper, j'avais appris que des centaines de nouveaux morts suspects avaient été découverts au Bangladesh et que l'OMS craignait de plus en plus une contagion mondiale... N'empêche, des morts « suspects », comme si c'était leur faute, aux morts ! Parfois je me demande ce qui passe par la tête des journalistes quand ils écrivent leurs textes. De toute façon, en ce moment mieux vaut éviter les infos ; impossible de se connecter au monde sans tomber sur des images atroces de corps entassés. À croire que plus rien de bon ne se passe dans l'univers.

Enfin, il y en a au moins un à qui ça fait plaisir. Le père de Ka devient un peu plus riche à chaque nouvelle épidémie… et Ka lui en veut chaque jour davantage.

Tant pis pour le chauffage, je ne prends pas le risque de la réveiller.

Elle dort si bien.

Malgré les traces de mascara qui maculent ses joues, ses mèches décolorées presque blanches et ses vêtements déchirés, on dirait une petite fille et ça me fait penser à cette photo que maman garde dans notre cuisine ; celle où Ka et moi, minuscules, dormons lovées l'une contre l'autre dans notre berceau…

Seize ans, cela fait seize ans que nous ne nous sommes pas quittées mais, avec ce que j'ai découvert ce matin, j'ai peur que notre complicité vole en éclats.

Voir Ka endormie, penser à cette photo m'oblige à me pencher sur ce que j'ai fait à maman ce matin.

Des années que j'attendais ce moment : savoir enfin qui était mon père.

Ça aurait dû être une fête, mais si j'avais su ce que j'allais découvrir, et surtout comment j'allais le découvrir, je me serais abstenue.

Maintenant que je sais, je regrette ; mais c'est trop tard et j'ai honte de ce que j'ai fait pour découvrir la vérité. J'ai tellement honte que c'est pour ça que j'ai laissé Ka m'embarquer dans sa fugue délirante et que je ne peux pas dormir.

Il faut que je puisse parler de ce qui m'arrive pour ne pas devenir folle ; mais ce que j'ai à dire est tellement

incroyable que ça ne peut être confié à personne...
même pas à ce journal, et surtout pas à Ka.

C'est idiot mais je n'arrive pas à savoir si le plus difficile est de savoir, ou de garder le secret sur ce que je
sais. Probablement les deux.

Kassandre, ma Kassandre qui ronflote comme un bébé
juste à côté de moi. Ce serait si simple de te réveiller et
de tout te raconter. Si seulement je pouvais te parler.

Mais non, j'ai trop peur de ta réaction. J'ai peur que
tu ne m'aimes plus, que tu te détournes de moi, qu'après
toutes ces années passées à tes côtés, ces années où tu
m'appelais « ta sœur », découvrir qui je suis réellement
fasse de moi ton ennemie.

Je ne le supporterais pas, alors je préfère écrire dans
ce cahier que de t'avouer la vérité.

Georges

1ᵉʳ mai
France, Loire
Centre de détention de Roanne

Je me réveille à l'infirmerie de la prison.

Pour y être déjà passé trois fois, je connais bien l'endroit et je suis plutôt content de me retrouver là, à cause de la fenêtre qui donne sur les champs.

Je tourne la tête sur la gauche et je les retrouve là où je les ai laissés la dernière fois : l'herbe et l'arbre flottent dans la brume entre deux barreaux pendant que le ciel rosit doucement. Ce n'est pas grand-chose, mais dans l'univers d'acier et de béton où j'évolue depuis dix-huit mois cette vision a un goût de liberté extraordinaire dont je ne me lasse pas.

Je soupire ; de l'herbe, un arbre... avec la vie de merde que j'ai menée jusqu'à présent c'est plutôt pas mal pour fêter mon anniversaire.

– Enfin réveillé ! Tu sais que je commençais à m'inquiéter.

Un bruit de livre qu'on ferme, une chaise qui racle le sol, deux pas qui claquent sur le lino et je sens le parfum de Rose alors qu'elle se penche sur moi.

— Je ne sais pas ce que tu lui as dit au chef pour le mettre dans cet état, mais les autres ont dû se mettre à quatre pour le calmer. Le temps qu'ils interviennent tu avais pris plus de volts qu'un paratonnerre lors d'un orage d'été, mon doudou.

Rose. L'autre raison qui fait que je suis content de me retrouver ici ; une montagne de pain d'épices en provenance directe des îles, cent cinquante kilos de gentillesse et une bonne humeur à l'épreuve de la noirceur des lieux. Mieux qu'une simple infirmière, c'est une vraie Dame. Une grande Dame… et le seul être au monde qui peut m'appeler « mon doudou » sans que je lui en colle une.

Je tourne la tête sur la droite et plonge directement dans la chaleur de ses yeux chocolat avant de lui répondre.

— Je n'ai rien dit, Rose, n'importe qui deviendrait taré en restant ici. Il a juste pété un plomb et j'étais au mauvais endroit au mauvais moment.

Les mains sur les hanches, Rose fait la moue, pince ses lèvres et j'entends siffler le fameux petit « *tchip* » qu'elle utilise toujours pour marquer sa désapprobation.

— Si tu penses faire gober tes âneries au grand chef, libre à toi mon doudou, mais pas à moi ! Depuis vingt-deux ans que je suis là, c'est la première fois que je vois le galonné s'énerver. Ce type, il a le sang plus froid que celui d'un serpent. Ce que tu as fait là, ce n'est pas bien, t'as réveillé le diable qui sommeille en lui et maintenant il ne va plus te lâcher.

Même fâchée, Rose n'arrive pas à avoir l'air méchant et tout ce que je lis sur son visage c'est son inquiétude à mon sujet.

– Tu sais bien que je serais prêt à toutes les folies pour pouvoir passer quelques jours avec toi, je lui lance pour l'amadouer.

Mais Rose n'est pas convaincue.

– Le diable, je l'ai senti hier. Il était là, dans le centre pendant que le gardien te battait. Je le sais, j'en suis certaine et je sais que toi aussi tu l'as senti parce que tu as parlé dans ton sommeil et ce que tu as dit, ce n'étaient pas des paroles du Seigneur... c'étaient les mots du démon, ajoute-t-elle discrètement.

Je ne dis rien, parce qu'il n'y a rien à dire.

Rose est haïtienne, elle croit aux esprits ; elle m'a déjà parlé de sa mère, de sa grand-mère et des autres avant elles ; toutes des voyantes, sauf elle.

Enfin, ça, c'est ce qu'elle croit, parce que même si je ne peux pas le lui dire, je sais maintenant que Rose doit posséder une partie des dons de ses ancêtres.

Je le sais car ce qu'elle a senti hier est vrai : le diable était bien là, mais ce n'était pas le gardien. C'était moi.

Peut-être.

Ou pas.

Je ne sais pas.

– Tu as faim ? Les cuisines sont fermées mais il me reste un peu de colombo... tu veux que je t'en réchauffe une assiette ? me demande Rose en me faisant un clin d'œil.

Le directeur de la prison a beau lui avoir expliqué mille fois qu'elle n'avait pas le droit de nourrir ses patients elle-même, Rose s'en contrefiche et elle cuisine si bien qu'on se battrait juste pour le plaisir de goûter à ses petits plats maison.

Mon estomac répond avant moi en envoyant un gargouillis explicite et je me contente de hocher la tête.

Rose part et je me retrouve seul. Seul avec le dégoût que je ressens à chaque fois que j'ai laissé mon hôte violer le cerveau d'un autre.

Même si le gardien est un salaud, je ne vaux pas mieux que lui et la question que je me pose depuis des années ressurgit : qui suis-je vraiment ?

Au bout de vingt ans, ma seule certitude est que je n'en ai aucune sur moi-même. Je suis comme ces plantes qui naissent hors sol et que l'on fait pousser dans des mélanges liquides sous des serres de plastique : je flotte, les racines à vif, submergé par ma non-existence.

Pour l'administration française, je suis né le 1er mai, il y a vingt ans jour pour jour.

C'est ce qui est inscrit sur mes papiers, mais la vérité c'est que j'ai été découvert au matin du 1er mai sur les marches de la chapelle d'Épailly, un minuscule village du Jura, et que personne ne connaît ma date de naissance avec certitude.

C'est con comme une date peut vous sembler importante quand vous ne la connaissez pas, c'est con comme, chaque année, la question revient, lancinante, agaçante, écrasante lors de votre « anniversaire » qui ne l'est peut-être pas.

Tout ce que je sais de mes origines c'est que le jour où le curé d'Épailly m'a trouvé j'étais nu, enroulé dans un foulard qui avait dû être blanc mais qui était tellement couvert de sang que le brave homme a d'abord cru qu'il était rouge.

Autour de mon cou il y avait une chaîne, d'où pendait une médaille en or très ancienne représentant saint Georges, c'est ce qui m'a valu mon prénom, tandis que le village m'offrait mon nom de famille : d'Épailly... une blague à consonance aristocratique qui allait m'attirer un paquet de moqueries dans les différents foyers que je traverserais ensuite.

Voilà, c'est tout, fin de l'histoire.

L'odeur du déjeuner que Rose est en train de me réchauffer en douce commence à flotter dans la chambre, mais je reste concentré sur le passé.

Je ne sais pas si c'est à cause de mon anniversaire, mais ce matin j'ai le pressentiment qu'il faut que je trouve qui je suis, parce que quelque chose va arriver, quelque chose de terrible, et que j'ai un rôle à y jouer, que ma bête noire a un rôle à y jouer.

Des pas claquent sur le lino du couloir et la porte de ma chambre s'ouvre avec un grincement qui me vrille le crâne.

Un rayon de lumière mal placé me force à fermer les yeux.

— Rose ! Faudrait voir à huiler ta porte et à fournir des lunettes de soleil à tes patients, je grogne en détournant la tête.

Mon estomac gargouille, mais je comprends qu'il n'est pas près d'être satisfait.

Parce que rien qu'à l'odeur, je devine que ce n'est pas Rose qui vient d'entrer dans ma chambre.

— Georges d'Épailly ? demande une voix d'homme teintée d'un léger accent du Sud.

— Non, le pape ! je jette sans prendre la peine d'ouvrir les yeux.

— Le pape ? Tu tires dans la bonne direction mais tu vises trop haut mon garçon, me répond l'homme d'un ton amusé tandis que les grincements du fauteuil m'indiquent qu'il s'assied à ma droite.

Un comique, manquait plus que ça. Mais j'ai l'habitude ; à chaque fois que tu es en prison c'est la même chose : dès que ta conditionnelle approche, des tocards viennent te faire chanter pour obtenir des infos.

Sauf que moi je ne suis pas une balance, alors si ce flic espère me transformer en indic, il est venu pour rien.

— Tu perds ton temps, je ne balance pas, alors je vais te faire gagner du temps : on va faire comme si tu avais fait ton job, que je t'avais dit non, et on se quitte bons amis.

Je dis ça doucement, sans même ouvrir les yeux, histoire qu'il ne le prenne pas pour une menace, mais la vérité c'est que j'entends les roues du chariot de Rose qui se rapprochent et que s'il retarde mon repas je vais finir par manquer d'humour.

Pas de réponse.

Le chariot s'est arrêté au bout du couloir et j'entends Rose parler à quelqu'un. Elle doit avoir un autre pensionnaire.

Dans la chambre, je ne distingue plus qu'un désagréable bruit de frottement, comme le grincement d'une mâchoire se refermant sur un tissu synthétique, et c'est ce qui me décide à soulever les paupières.

Le type est en train de lisser les plis de son pantalon super chic du bout des ongles et c'est ce qui produit ce son désagréable.

Ses mains sont surprenantes. Elles ont les phalanges les plus maigres que j'aie jamais vues ; des doigts osseux prolongés par des ongles si effilés qu'ils en sont presque pointus.

Des ongles beaucoup trop longs et un pantalon beaucoup trop chic pour un flic.

Le type ne dit rien mais avance légèrement le buste pour m'obliger à croiser son regard. Il a un visage blafard, aux traits acérés, et des yeux rouges qui ressortent comme deux braises sur sa peau translucide.

– Sais-tu quel jour nous sommes, Georges ?

Je le sais très bien mais je ne peux pas répondre, car ses yeux d'albinos me pétrifient.

Je hoche la tête.

Il sourit.

Le spectacle de ses lèvres fines qui s'étirent comme une cicatrice sur sa peau blanche est monstrueux.

Dans le couloir, le chariot a repris sa route et les effluves épicés du colombo de Rose s'infiltrent à présent dans la chambre.

L'homme grimace, se lève, et pose une grande enveloppe de papier kraft sur ma couverture avant de caresser ma joue dans un geste d'une douceur incroyable qui m'écrase le cœur.

– Ton père a mis vingt ans à te retrouver mais il est maintenant grand temps pour toi de nous rejoindre et de connaître tes origines. Bon anniversaire, Georges.

J'ouvre la bouche pour l'interroger mais, quand Rose entre dans ma chambre, je suis seul.

Il ne s'est écoulé qu'une seconde mais je ne l'ai pas vu partir.

D'ailleurs, je n'ai même pas vu la porte s'ouvrir.

C'est impossible pourtant je sais que je n'ai pas rêvé.

Je le sais car si l'homme a disparu, la grande enveloppe qu'il a déposée sur ma couverture, elle, est belle et bien là.

journal de Mina

1ᵉʳ mai
6 h 30

Comment ai-je pu faire ça à maman ?

Alors que je m'étais toujours promis de ne jamais utiliser mon pouvoir sur elle, je l'ai fait ; je l'ai fait car je voulais être certaine qu'elle ne me mentirait pas, mais j'ai eu tort.

J'ai eu tort car maintenant que je sais pourquoi maman me cachait la vérité, je regrette ; elle voulait juste me protéger ; elle se doutait que personne, pas même moi, ne pouvait supporter sans dommage une découverte de cette ampleur.

Mais c'est trop tard pour regretter.

Tout a commencé ce matin quand, au petit déjeuner, j'ai rappelé sa promesse à maman et qu'elle a refusé de me répondre.

« Je sais que je t'avais promis de te dire qui était ton père le jour de tes seize ans, mais il y a des histoires qui gagnent à rester secrètes... crois-moi, tu ne veux pas savoir, tu ne dois pas savoir », m'avait-elle répondu en se tordant les mains.

Ses supplications auraient dû m'arrêter, mais j'ai insisté et elle n'a pas eu d'autre choix que de céder.

Sans cesse de préparer le petit déjeuner, maman a donc commencé à me parler de mon père... une histoire à dormir debout à propos d'un homme marié rencontré au hasard d'une soirée d'été, d'une passion dévorante qui avait duré le temps des vacances et d'un départ sans laisser d'adresse avant même qu'elle ne découvre sa grossesse.

Une histoire basique qui aurait pu me suffire si elle ne me l'avait pas débitée sans croiser mon regard, gardant le nez baissé sur ses casseroles sans tourner une seule fois la tête de mon côté.

Son bobard était si flagrant, si énorme que je l'ai laissée accumuler ses fadaises sans l'arrêter, je l'ai laissée s'enferrer dans ses explications stupides pour voir jusqu'où elle oserait aller.

Et elle est allée loin, très loin, me ressortant même d'un tiroir la vieille photo jaunie d'un jeune homme inconnu en me disant que c'était mon père ; en me décrivant le menu de leur premier dîner, la couleur de ses yeux, le parfum de sa peau et les musiques sur lesquelles ils aimaient danser.

Une belle histoire.

Si seulement j'avais accepté de la croire, comme tout aurait été plus simple ! Un père volage et un amour impossible auraient mieux valu que ce que j'ai découvert ensuite.

Malheureusement, même si je l'avais voulu, je ne pouvais pas la croire car je sais toujours quand les gens mentent… je ne sais pas comment c'est possible, mais je le sais.

Quand un menteur me parle, j'entends ses pulsations sanguines s'accélérer, je sens l'odeur de sa peau devenir plus âcre et je sais avec certitude qu'il ment.

Je ne sais pas pourquoi je suis comme ça mais cela fait dix ans maintenant que j'ai compris que j'ai le pouvoir de détecter les vérités sous les mensonges, et je peux certifier que c'est un cauchemar que personne ne devrait être obligé de vivre.

La première fois que je m'en suis aperçue j'avais sept ans. Nous étions à la veille des vacances de Noël ; la maîtresse nous avait demandé de préparer notre liste de cadeaux et de la lire devant la classe. Comme toujours, Ka et moi avions fait sensiblement la même… sauf que quand j'avais lu la mienne, Astrid avait rigolé. Cette peste avait dit que je ne pourrais jamais avoir tout ce que j'avais demandé car le Père Noël n'existait pas et que ma mère n'étant qu'une domestique elle n'aurait jamais assez de sous pour tout m'acheter.

La maîtresse lui avait demandé de se taire et m'avait assurée ne pas croire un seul mot de ce qu'elle avait dit, mais j'avais senti que quelque chose clochait.

Pendant la récréation, Ka s'était jetée sur Astrid et lui avait à moitié arraché les cheveux en la traitant de sale menteuse ; pourtant, moi, j'avais la certitude qu'Astrid disait vrai et que c'était la maîtresse qui mentait.

J'étais incapable d'expliquer comment je m'en étais rendu compte mais je n'avais aucun doute, je l'avais senti dans les vibrations de leurs voix : la vérité c'était que le Père Noël n'existait pas, que nous étions pauvres et que maman était une domestique. Le reste n'était que mensonge.

Le soir même, de retour à la maison, juste pour être sûre, j'avais demandé à ma mère si le Père Noël existait. Je pense que le ton sur lequel j'avais posé ma question l'avait alertée, car sa réaction avait été étrange.

Maman avait eu un temps d'arrêt, avait reposé le couteau avec lequel elle était en train de peler une pomme, s'était lentement essuyé les mains sur son tablier à carreaux rouges et blancs avant de s'agenouiller devant moi et de planter ses yeux dans les miens.

— Tu connais la réponse à ta question, Mina ? m'avait-elle demandé.

Je crois que j'avais hoché la tête, car maman m'avait ensuite serrée dans ses bras avant de me répondre qu'elle m'aimait plus que tout au monde et que, oui, le Père Noël n'était qu'un joli conte pour enfants mais que, maintenant que j'étais grande, je pouvais connaître la vérité. Qu'elle me dirait *toujours* la vérité...

Nous n'en avions jamais reparlé.

Au fil des années j'ai compris que personne ne pouvait me mentir et, si ça pouvait être parfois assez pratique (comme ce jour où j'ai empêché Ka d'acheter ce téléphone soi-disant « en parfait état » que Mathieu voulait lui refourguer), dans la majorité des cas j'ai vécu l'enfer.

Personne au monde ne devrait être obligé d'entendre toutes les vérités. Pas facile de savoir que le « Jolie robe ! » qu'on vous lance le matin au collège signifie en fait « Nan, mais quelle plouc celle-ci... » ou que le « Tu viens boire un verre avec nous ? » est à comprendre comme « De toute façon, si on veut que Kassandre vienne on est bien obligés de te supporter ».

Tout le monde ment, tout le temps et je suis bien placée pour savoir que, souvent, c'est plutôt une bonne chose.

En dix ans, j'ai appris à accepter ma malédiction et les mensonges des autres ne m'atteignent plus autant. Mais ce matin, j'avais attendu tellement longtemps que maman me dise la vérité à propos de mon père, j'avais mis tellement d'espoir dans ses révélations que, quand elle m'a menti, j'ai eu mal comme jamais.

J'avais tellement besoin de savoir qui était l'autre moitié de moi-même ; d'où je tenais mes yeux verts et ma malédiction. J'espérais que, peut-être, savoir qui était mon père me donnerait un indice, me ferait comprendre pourquoi j'étais si différente, pourquoi j'arrivais à savoir ce que personne ne pouvait deviner... mais maman m'a menti et, tout à coup, j'ai senti quelque chose se briser en moi, comme si toutes les digues retenant mon pouvoir se brisaient.

Et c'est là que la *voix* est sortie de ma gorge.

Une voix que je ne connaissais pas, sourde, grave, envoûtante ; une voix qui venait du plus profond de moi mais qui, sans être la mienne, posait pourtant les questions qui étaient les miennes depuis longtemps.

Je ne sais pas si je parlais, mais les mots qui jaillissaient de ma bouche ressemblaient plus au raclement de gorge d'un animal dangereux qu'à ceux d'un humain.

« Qui est-il ? » a réclamé la voix avec violence.

Les mots ont giflé ma mère en pleine face avec une telle puissance que je l'ai vue valdinguer et s'écraser contre le mur de la cuisine.

Son visage est devenu si blanc que j'ai cru qu'elle allait s'évanouir, mais elle s'est contentée de presser la paume de ses mains sur ses oreilles et de plonger son regard dans le mien. Le même regard que ce soir d'hiver de mes sept ans... le soir de Noël où elle m'avait juré qu'elle ne me mentirait jamais.

Assise sur le sol au milieu des morceaux épars de sa tasse brisée, elle ressemblait à une poupée désarticulée ; son souffle était court, son visage luisait de sueur mais, quoi que lui ait fait la voix, elle n'avait pas l'air étonnée : maman était effrayée mais pas surprise, comme si cette expérience ne lui était pas inconnue et qu'elle avait redouté cet instant depuis toujours.

C'est ce qui m'a fait le plus mal, car ça signifiait qu'elle savait, qu'elle connaissait ma malédiction et j'ai brutalement compris pourquoi elle était la seule qui ne m'avait jamais menti... elle ne m'avait jamais menti car elle savait que c'était inutile.

Maman savait qui j'étais mais, malgré toute ma souffrance, malgré toutes les questions que je me posais depuis mon enfance, jamais elle n'en avait parlé avec moi.

Elle m'avait laissée me débattre avec mes interrogations, elle m'avait laissée croire que j'étais un monstre sans venir à mon secours.

Je l'ai regardée comme si je ne l'avais jamais vue auparavant.

Était-elle vraiment ma mère pour m'avoir ainsi abandonnée à mes souffrances durant toutes ces années ?

Écroulée sur le plancher, elle m'a renvoyé mon regard en secouant convulsivement la tête de gauche à droite tandis que sa poitrine se soulevait de plus en plus vite.

Elle avait peur.

Mais quelle sorte de mère a peur de sa fille ? et quelle sorte de fille fait peur à sa mère ?

Il fallait que je sache, alors j'ai laissé la voix répéter : « Qui est mon père ? »

Le grondement est devenu encore plus sourd, j'ai senti ma gorge moduler chaque son avec plus d'insistance et, même si c'est impossible, j'ai vu mes mots pénétrer dans son cerveau et asservir sa volonté.

Cette voix, ma voix, la réduisait en esclavage aussi sûrement qu'une chaîne d'acier. Ma mère était devenue ma marionnette. Comme les sirènes antiques, ces monstres dévoreurs de marins, je l'ai attirée dans les eaux profondes de ma volonté, je l'ai noyée sous mes questions. Et elle a répondu.

Je n'aurais pas dû.

Car la vérité c'est que mon père est un monstre, que je suis la fille d'un monstre… et que maintenant j'ai la certitude d'en être un moi aussi.

Ka gigote de plus en plus et je sais qu'elle va bientôt sortir du sommeil.

Le jour est complètement levé désormais et notre folle escapade va se terminer.

Il est temps que je décide ce que je veux faire de ma vie.

Dans ma poche, le papier sur lequel j'ai écrit le nom et l'adresse que maman m'a révélés hier m'attire comme un aimant.

Grâce à lui j'ai enfin la possibilité de connaître l'autre partie de moi-même... mais pour cela il faudrait que je trouve le courage d'abandonner Ka, et je ne suis pas prête à faire ce sacrifice.

Georges

1ᵉʳ mai
France, Loire
Centre de détention de Roanne

La porte s'ouvre en grand pour laisser passer le chariot de Rose et je dois secouer la tête pour me convaincre que je n'ai pas rêvé : l'albinos était encore à côté de moi il y a une seconde.

Je ne comprends pas comment il a pu quitter ma chambre aussi rapidement.

– Dis donc, Rose, c'était qui ce type ?

Rose stoppe net et me jette un regard inquiet.

– Quel type ? Il n'y a que nous deux ici mon doudou. Tu es certain que tout va bien ?

J'insiste.

– Tu l'as forcément croisé dans le couloir ; un grand albinos aux yeux rouges, très maigre avec un costard de luxe !

Mais Rose n'a vu personne et commence visiblement à se demander si les décharges de Taser ne m'ont pas grillé la cervelle.

Je lâche l'affaire.

– Oublie, ma belle ! J'ai dû me rendormir sans m'en rendre compte… à moins que ce soit l'odeur de ton colombo qui me fasse délirer ? Tu n'aurais pas mis du shit dans mon repas par hasard ?

Insinuer que quelque chose d'illicite puisse souiller sa précieuse recette détourne immédiatement l'attention de Rose qui se met à suffoquer d'indignation et repart en maugréant dans son bureau.

– Rose ! Reviens, je ne voulais pas te vexer !

Mais le mal est fait. Rose allume sa télé à fond et le seul à me répondre est un présentateur annonçant aux Français en train de petit-déjeuner qu'une épidémie majeure serait en train de décimer une tribu de Papous au fin fond des Southern Highlands… Encore une bonne nouvelle.

Rose déteste les infos : « *C'est que des marchands de malheur. À force de ne parler que de ce qui ne va pas, ils ont fini par coller la scoumoune au monde* », grogne-t-elle à chaque fois qu'elle tombe sur le journal… Alors pour qu'elle s'inflige BFM au petit déj', c'est vraiment qu'elle me fait la tronche.

Je crève d'envie d'ouvrir l'enveloppe que m'a donnée l'albinos mais, vu l'humeur de Rose, je décide de commencer par manger. Si jamais le contenu de l'enveloppe me coupait l'appétit et que mon infirmière retrouvait mon assiette pleine, je serais bon pour la bouffe dégueu de la prison à mes prochains séjours.

Je mange trop vite. Mon drap est maculé de gouttelettes dorées, une constellation grasse et épicée qui ne va pas améliorer l'humeur de Rose, mais je ne peux pas quitter l'enveloppe des yeux.

Elle est la preuve que je n'ai pas rêvé : l'albinos était bien là.

Je mastique comme si ma vie en dépendait et ce simple mouvement de mes mâchoires sur la viande morte me rappelle à quel point la vie est fragile : un jour tu es vivant, le lendemain tu crèves et tu te fais bouffer.

J'ai envie de vomir mais avale la chair tendre pour rester en vie.

Ma bête noire est exigeante ; comme à chaque fois que je la réveille, elle m'a pompé toute mon énergie.

Il faut que je recharge les batteries pour avoir la force de faire face au contenu de cette enveloppe.

Dernière bouchée.

Je repousse le plateau roulant, m'essuie la bouche d'un large mouvement de l'avant-bras et attrape le rectangle jaune.

Ne pas hésiter, arracher le rabat d'un geste brusque.

Le bruit du papier déchiré résonne dans la chambre en me rappelant le crissement désagréable des ongles aiguisés de l'albinos sur les plis de son pantalon de luxe.

Mon envie de vomir est de plus en plus présente.

Je transpire comme un bœuf et, pour la première fois de mon existence, j'ai peur.

Pire. Moi qui vole les cauchemars des autres sans frémir, j'éprouve ce sentiment étrange que je leur inspire : la terreur.

Et je n'aime pas ça.

Pourtant, depuis ma naissance, il ne s'est pas écoulé une seule nuit sans que je rêve de lacs de sang, de tortures, de batailles grandioses et de tout un tas d'autres choses si horribles que je ne peux pas envisager une seule seconde de les décrire à quiconque sans risquer de me retrouver enfermé.

Personne ne pourrait comprendre ce que ressent ma bête noire quand elle voit un ongle aiguisé glisser au-dessus d'une paupière pour la découper soigneusement avant d'arracher de l'orbite le globe doux et spongieux d'un seul coup d'index.

Personne à part moi…

Pourtant, à cet instant précis, ce que je ressens va au-delà de la peur, au-delà de la terreur… c'est une douleur sourde qui pulse au plus profond de moi et fait se distendre chacune de mes cellules car je sais ce qui m'attend dans cette enveloppe, je sais ce qui me fait si peur.

J'ai peur de la vérité.

Peur de savoir ce que je suis.

Arrêter de réfléchir.

Agir.

Je retourne la pochette de papier sur mes genoux et la laisse me glisser des doigts.

Je la suis du regard jusqu'au sol où elle plane au ralenti dans un incongru balancement de feuille d'automne.

Devant moi il ne reste plus qu'une chemise cartonnée tachée de gouttes sombres et fermée par un ruban entortillé dans une attache de métal rouillé.

Sur cette chemise, mon nom et un numéro sont écrits au marqueur noir.

Ce numéro, je le connais pour l'avoir déjà lu sur mon dossier de la DDASS : c'est celui du rapport de gendarmerie concernant ma naissance ; un rapport que j'ai toujours rêvé de lire mais que je n'ai jamais été autorisé à consulter.

Je caresse la couverture rugueuse. Les taches sombres qui la maculent laissent une fine pellicule sur la pulpe de mes doigts. Je connais cette couleur, je connais cette odeur. C'est du sang, du sang encore frais.

Mes mains tremblent. L'attache rouillée me résiste, ses dents acérées sont si profondément ancrées dans le ruban multicolore qu'elles semblent indissociables. Je tire d'un seul coup, sec, et le dossier s'écartèle en vomissant ses entrailles aux quatre coins de la pièce.

– Merde !

Des documents épars tapissent le sol dans le plus grand désordre. Un tapis blanc où éclate çà et là la violence des photos... Du sang, partout du sang et un cadavre de femme à moitié dévoré dont j'ai la certitude qu'il est celui de ma mère.

Le journaliste s'est enfin tu, remplacé par Rose qui chantonne dans le couloir. Elle vient par ici.

Il ne faut pas qu'elle voie ça. Je me précipite, saisis à pleines mains les brassées de feuilles pour les remettre rapidement dans leur pochette. Un kaléidoscope d'images tronquées s'imprime dans mes pupilles.

J'ai juste le temps de glisser le dossier sous mon matelas et de me rallonger avant que la porte ne s'ouvre.

– Alors mon doudou ? Il était comment ce repas ? me lance-t-elle en souriant.

Les humeurs de Rose sont comme le climat tropical : elles changent si vite qu'elles vous prennent par surprise.

Mais je n'arrive pas à lui répondre et son sourire s'efface.

– Tu es sûr que tout va bien ? On dirait que tu as vu un mort, dit-elle en portant instinctivement la main à la petite croix d'or pendue à son cou.

Je me racle la gorge mais les mots ne sortent pas. Je voudrais tout lui déballer : ma bête noire, l'albinos, l'enveloppe, les photos... mais je sais qu'il ne faut pas. Ça ne sert à rien. À rien à part me retrouver chez le psy comme c'est déjà arrivé plusieurs fois par le passé.

Le silence danse sur mon hésitation.

Rose s'approche. Ses yeux sont si doux que je sens que je peux lui parler.

– Rose, je ne suis pas...

Dringggg... Dringggg...

La sonnerie stridente du téléphone de la salle de garde fait exploser en morceaux le début de ma confession.

– Je reviens, tu ne bouges pas d'ici ! me lance-t-elle en sortant.

Comme si je pouvais aller où que ce soit...

Il faut que je me reprenne.

Je m'allonge, desserre les poings et inspire profondément en me concentrant sur le plafond bas aux dalles carrées : vingt-huit plaques blanchâtres percées d'une multitude de petits trous noirs me font face. Un océan de laideur standardisée dissimulant certainement suffisamment d'amiante pour refiler le cancer à la totalité des locataires de la prison.

Comme de la neige tombant sur un champ de bataille ce manteau blanc m'apaise, effaçant de mon esprit les images que je n'ai plus envie de voir.

Au cœur du plafond un îlot grillagé protège deux tubes de néons laiteux mouchetés de cadavres d'insectes assez bêtes pour s'y être frottés et…

Une petite enveloppe blanche est coincée entre les lampes du plafonnier. Elle a dû sauter là-haut quand le dossier a éclaté.

La conversation de Rose s'éternise. Je n'en distingue que des bribes, mais c'est suffisant pour que je comprenne qu'elle parle de moi avec le directeur.

Si le grand manitou se ramène ici j'ai intérêt à faire disparaître cette petite enveloppe.

Debout sur mon lit je tends le bras, et la décroche du plafonnier.

Elle ne peut pas faire partie du dossier ; trop blanche ; trop neuve.

Pourtant, sur son recto, deux mots ont été tracés à la main dans une encre rouge sang :

Georges d'Épailly

Rose parle toujours au téléphone, alors je prends le temps de décacheter l'enveloppe.

À l'intérieur se trouve la carte de visite d'un certain Vitali Camponi, sur laquelle sont inscrites une date et une adresse.

Le rendez-vous qu'il me fixe est dans cinq jours et il est en Italie, pourtant, même si je n'ai pas les moyens de m'y rendre, même si ma libération n'est prévue que dans quinze jours, j'ai l'incroyable certitude que j'y serai.

Quand Rose finit par revenir dans ma chambre, elle est accompagnée d'un inconnu en costume qui me regarde avec curiosité et du directeur de la prison qui tire une gueule de six pieds de long.

– Georges d'Épailly ? me demande le mec bien sapé.

Je soupire ; décidément, mon nom semble être le dernier mantra à la mode.

Je répondrais bien par la négative, mais devant le froncement de sourcils de Rose je préfère me contenter de hocher la tête et le mec me tend *illico* un papier et un stylo.

– Je ne sais pas qui vous êtes, jeune homme, mais vous avez visiblement des amis haut placés… décision du juge, signez ici et vous êtes libre.

Je ne sais pas de quoi il me parle.

Mon pote le plus haut placé c'est Rachid : il squatte sur le toit de la tour B de ma cité et je suis absolument certain qu'il ne connaît aucun juge.

Je reste comme un idiot devant leur formulaire. Il n'y a pas des masses de texte mais face à l'en-tête aux couleurs de la République, et malgré le jargon de juriste, je comprends vite que l'homme n'a pas menti : si je signe, je sors.

Ça ressemble à une arnaque, mais la tête d'enterrement du directeur associée au large sourire de Rose me prouvent que ce n'est pas une blague.

Alors j'arrête de réfléchir et je signe.

Kassandre

5 mai
Suisse, Saint-Gall
Institut auf dem Zugerberg

Après m'avoir traînée dans les couloirs en pestant, le gardien de nuit me jette sur un des lits de l'infirmerie et referme brutalement le panneau de tissu du box en hurlant :

– Asseyez-vous là et ne bougez plus ! Le médecin de votre mère a été prévenu, il va venir vous examiner.

Il est six heures du mat' et le gardien qui m'a chopée pendant que j'essayais de franchir le mur du pensionnat est furax. Il faut dire qu'avec les traces que j'ai laissées sur son bel uniforme pendant qu'il m'aidait à me dégager des barbelés où j'étais empêtrée, il risque d'avoir une sacrée facture chez le teinturier. Mais je n'en ai rien à battre.

L'arrière de mon bras me fait mal, mais comme il n'y a pas de miroir je suis obligée de me dévisser le cou pour juger de l'étendue des dégâts.

La manche droite de mon tee-shirt des Black Dahlia Murder est complètement arrachée. Pas grave, ça lui donne un petit look destroy pas désagréable. Par contre, mon bras a moins bien résisté aux barbelés et la blessure n'est pas jolie à voir.

Sous le tissu déchiré la chair est à vif et je dois admettre que c'est plus qu'une égratignure.

Pendant que mon sang dégouline sur le drap bleu de l'infirmerie, je réalise que je vais avoir une sacrée cicatrice mais je m'en contrefiche ; ce n'est pas ça qui va m'empêcher de recommencer à essayer de me tirer d'ici… même si je prends note de me dénicher un autre chemin. À l'évidence, les barbelés qui surmontent leur saleté de mur d'enceinte ne sont pas là que pour la déco !

Cette tentative d'évasion était débile, mais ça fait quatre jours que je suis enfermée dans cette école de fachos sans aucune nouvelle de Mina et je n'en pouvais plus.

Avec du recul, je me rends bien compte que j'ai été stupide.

D'abord le soir de mon anniversaire : j'ai fait mon show, enlevé Mina, piqué une des voitures de Père et foncé dans la nuit sans penser à ce qui allait se passer après.

Au début j'y ai cru, juste parce que rouler sur des petites routes de campagne en écoutant du black metal à fond et dormir à la belle étoile avec Mina, même si elle était un peu ailleurs, c'était génial.

Jamais je n'aurais imaginé pouvoir rester autant de temps dans la nature ; la dernière fois que je m'étais enfuie, les hommes de Père avaient mis moins de trente minutes à me retrouver alors, plus les heures passaient, plus je me prenais à croire que notre fuite pourrait durer éternellement.

Évidemment, Mina n'y croyait pas une seconde et, comme toujours, c'est elle qui avait raison. Le soir même, l'avocat de Père déclarait le vol de la Bentley et, comme sa fichue bagnole avait un système de traçage, à sept heures du mat' l'affaire était pliée : les flics nous avaient retrouvées et nous avaient emmenées au poste.

Perso, c'était pas la première fois alors je m'en foutais royalement, sauf que j'avais oublié un détail : Père est un salopard et ma petite démonstration pendant sa fête l'avait mis un poil en colère.

Il savait bien que rien de ce qu'il pourrait me faire ne m'atteindrait, alors il a frappé sur mon seul point faible et c'est Mina qui s'est retrouvée accusée du vol !

À partir de ce moment-là je n'avais plus le choix ; soit j'obéissais, je filais droit en pension et Père retirait sa plainte ; soit Mina restait en taule et sa mère était virée.

En ridiculisant le grand Karl Báthory de Kapolna devant ses invités, j'avais poussé le bouchon trop loin ; le deal était non négociable, alors j'ai dit oui.

Quand je suis retournée dans la cellule pour expliquer à Mina que j'allais partir, elle a eu une réaction bizarre, comme si elle n'en avait rien à foutre ; elle devait être tombée sur la tête car ça avait presque l'air de lui faire plaisir de se retrouver enfermée... comme si ça l'arrangeait !

Il était hors de question que je la laisse se faire condamner pour moi alors je lui ai dit que j'avais accepté le marché de Père, mais elle n'a rien voulu entendre.

Je n'aurais jamais imaginé que Mina réagisse comme ça. De nous deux, elle avait toujours été la plus raisonnable mais, là, elle avait l'air paniquée et m'a suppliée de refuser, de rester avec elle, de ne pas l'abandonner.

Je ne sais pas pourquoi, mais elle était convaincue que Père ne pouvait pas l'envoyer en prison ; elle répétait sans cesse qu'il mentait, qu'elle en était certaine, que je ne devais pas céder.

La pauvre est trop gentille, elle ne se rend pas compte du pouvoir de nuisance de ma famille alors, pour la protéger, j'ai accepté d'aller en pension.

Sauf que maintenant, je suis sans nouvelles d'elle depuis quatre jours et ça me rend dingue.

J'ai tout fait pour la joindre, mais rien à faire : sans téléphone et avec les consignes que Père a laissées à ces intégristes, je suis totalement impuissante.

C'est pour ça que j'ai essayé de faire le mur, juste pour trouver un téléphone et pouvoir parler à Mina. Juste pour être certaine qu'elle allait bien, que Père ne me l'avait pas fait à l'envers. Mais j'ai lamentablement foiré et je me doute que maintenant ils vont me surveiller d'encore plus près.

Je suis crevée et mon bras me fait mal.

Le temps que le médecin de Mère se ramène j'ai quelques heures devant moi alors, tant qu'à être à l'infirmerie, autant en profiter pour me reposer.

Je balance mes Doc sur la couverture, pose la tête sur l'oreiller et ferme les yeux en soupirant.

Au pied de mon lit, juste à côté de la cloison de tissu qui me sépare du box d'à côté, une radio probablement oubliée là par l'infirmier de service égrène en sourdine des infos du bout du monde :

« Le baron de la drogue Hernando Tavares, porté disparu depuis dix jours, vient d'être retrouvé mort avec dix de ses hommes sur un yacht dérivant dans les eaux du Nicaragua. Les causes de leur mort, encore inconnues, ont poussé les autorités à placer le navire en quarantaine. Une équipe de l'OMS est attendue dans la journée pour tenter de comprendre les raisons de ces décès. Cette découverte macabre vient s'ajouter à la longue liste de... »

La journaliste te balance ses infos avec autant de charisme que si elle lisait une liste de courses, mais je ne vais pas lui en vouloir de manquer d'empathie. Tu parles d'une nouvelle ! Un dealer de moins sur cette terre, on ne va pas pleurer...

N'empêche, j'ai mal à la tête et le chuintement de la radio m'agace.

– Tu vas la fermer, oui ?! je grogne en jetant mon oreiller sur l'appareil.

Sauf que voilà, avec mon bras blessé, je manque ma cible d'un bon mètre et mon oreiller disparaît derrière la cloison de tissu.

Une voix agacée retentit aussitôt et une tête ébouriffée apparaît entre les deux pans de tissu séparant les box.

– Hé !! Ça va pas de balancer des trucs comme ça !

La fille qui râle doit avoir mon âge. Avec ses cheveux noir corbeau taillés en pétard et le nombre impressionnant de trous de piercings qui parsèment son visage, on dirait une héroïne de manga sur laquelle on aurait joué aux fléchettes.

Elle a l'air furax, mais son regard s'adoucit aussitôt qu'elle me voit.

— T'es Kassandre, la nouvelle ? Qu'est-ce que tu fous ici au bout de quatre jours ? Toi aussi t'es sous surveillance pour la dope ? Parce que je te préviens, ici, impossible d'échanger ton urine avec quelqu'un d'autre, c'est prise de sang direct et là tu ne peux pas gruger ! D'ailleurs, moi je suis bonne pour la désintox, un crevard m'a vue fumer dans le bois et m'a balancée. Dès qu'on aura analysé le flacon que tu vois là, je serais dans la merde…

Cette fille me plaît, elle ne ressemble pas du tout à l'armée de poupées Barbie que j'ai croisées jusque-là dans les couloirs, alors je m'autorise un sourire.

Moi, la drogue c'est pas mon truc, mais quand elle me montre le flacon vermillon posé sur le chariot de métal j'entrevois immédiatement son problème, le moyen d'y remédier… et une façon d'emmerder un peu plus mes géniteurs.

— La désintox, je présume que tu n'as pas envie d'y aller ?

La fille à tête de manga grimace.

— Tu m'étonnes que j'ai pas envie ; à côté de leur clinique pourrie, ici on se croirait presque au Club Med… Mais cette fois-ci c'est mort pour moi !

Je ne connais pas cette nana mais elle me plaît de plus en plus, alors je lui fais un clin d'œil et lui montre mon bras qui dégouline.

– Si je te donne un coup de main pour trafiquer ton test, tu promets de m'aider à passer un coup de fil ?

Ses yeux font la navette entre le tube à essai et ma blessure. Il lui faut moins de deux secondes pour comprendre ce que je lui propose et retrouver le sourire.

– Deal, ma poule ! Mais faut se magner car ils ne vont pas tarder à rappliquer... Ah, et moi c'est Yolande mais j'aime autant que tu m'appelles Yo.

– Yolande ?

Je ne peux pas m'empêcher de sourire. Je sais, c'est naze, mais avec ses cheveux noirs et ses piercings je ne m'attendais pas à un nom pareil.

La fille sent mon envie de rigoler et grimace.

– Ouais, je sais, c'est un prénom pourri qui me donne l'impression d'avoir mille ans... c'est pour ça que je préfère Yo, conclut-elle en me tendant la main.

J'efface mon sourire, avance mes doigts vers les siens et elle me tire vers elle avec une force que je n'aurais pas imaginée en voyant son gabarit de souris.

Sans perdre une seconde, Yo débouche le tube qui contient son prélèvement, le rince rapidement au lavabo et le positionne sous les lèvres déchiquetées de la blessure que m'ont laissée les barbelés.

– Putain ! tu t'es pas ratée, commente-t-elle en appuyant sur la plaie jusqu'à ce que mon sang se remette à couler. Ça va ? J'appuie pas trop fort ?

La sensation n'est pas top mais pas pire qu'un tatouage à vif, aussi je me contente de hocher la tête et lui fais signe de continuer.

Lentement, les gouttes rouges s'accumulent au fond du tube de verre et en moins d'une minute nous en récoltons suffisamment pour que ma nouvelle amie puisse reboucher l'éprouvette et la replacer sur son socle.

— J'espère qu'ils ne vérifieront pas le groupe sanguin sinon c'est mort, pronostique Yo en retournant dans son lit. T'es quoi d'ailleurs comme groupe ?

Je hausse les épaules ; ce n'est pas que je ne veuille pas lui répondre, c'est juste que je n'en sais rien. Le sang, chez nous c'est une affaire cruciale. Depuis que je suis née on me répète que le nôtre est noble, précieux, incomparable et nous place au-dessus du commun des mortels... Un ramassis de conneries, mais à cause de ces grands principes Mère a toujours refusé que je sois examinée par quelqu'un d'autre que son médecin personnel et n'a jamais accepté que je fasse la moindre prise de sang. Je me souviens encore de la crise de rage qu'elle avait faite en découvrant que je m'étais fait tatouer... cette cinglée avait même acheté le salon du tatoueur pour pouvoir ensuite le détruire de fond en comble pour ne pas prendre le risque qu'une goutte de notre précieux sang soit à la disposition de n'importe qui.

Quand je vois la taille de l'éprouvette qui va partir à l'analyse, je jubile... Si Mère le savait, elle en étoufferait de rage !

journal de Mina

5 mai

Ka est partie ; pour la première fois depuis notre naissance nous avons été séparées et la douleur que j'en ressens est insupportable. Comment a-t-elle pu me faire
une chose pareille ?

Je lui ai pourtant dit de ne pas partir, je l'ai même suppliée mais cette tête de mule a refusé de m'écouter. Soi-
disant qu'elle partait « pour mon bien », qu'elle n'avait
« pas le choix ». Comme si je pouvais en avoir quelque
chose à faire de me retrouver enfermée ! Comme si je
pouvais me sentir libre tout en la sachant coincée dans
une pension !

Rien que l'idée qu'elle ait pu croire une seule seconde
que j'accepterais ce marché me révolte.

Cette idiote s'est prise pour un chevalier et a cru
qu'elle devait me sauver alors qu'elle se faisait manipuler. Déjà, dans la cellule, j'avais senti que son père
mentait mais, depuis, je me suis renseignée et à mon

âge, avec un casier vierge, il n'y avait aucune chance qu'un juge m'envoie en prison ! Sauf que quand j'en ai eu la preuve c'était trop tard : Ka était déjà en route vers sa pension et nos bagages étaient sur le pas de la porte !

Ce salaud avait promis à Ka de nous garder, mais évidemment il n'a pas hésité une seconde à nous virer.

Le plus étrange c'est que la mère de Ka, Karolina, a pris notre défense.

Au moment où nous allions partir, elle est venue parler avec maman et j'ai bien vu qu'elle lui donnait de l'argent. Une liasse suffisamment grosse pour que nous puissions nous installer à l'hôtel du village.

Quand j'ai questionné maman à ce propos, elle m'a dit que Karolina tenait à ce que je finisse l'année scolaire dans l'établissement privé où j'étais inscrite avec Ka pour éviter les commérages sur l'absence de sa fille. Ce n'était pas vraiment un mensonge, mais j'ai bien senti que ce n'était pas l'entière vérité.

De toute manière cette histoire est ridicule, pourquoi continuerais-je à aller dans ce lycée si Ka n'y est plus ? Pour voir la tête des autres idiots qui ne supportaient ma présence que parce que j'étais la meilleure amie d'une Báthory de Kapolna et me faisaient bien sentir que je n'appartenais pas à leur monde dès qu'ils en avaient l'occasion ? Non.

C'est pour ça que je suis partie, malgré la peine que je vais faire à maman, le départ de Ka m'a poussée vers la seule décision possible et j'ai pris mon billet sans prévenir personne.

22 h 30

Je l'ai fait ! Je suis dans le train !

Allongée sur ma couchette, je regarde le jour qui s'éteint par la fenêtre sale de mon compartiment, et je dois me pincer pour réaliser que je suis vraiment là !

Moi qui n'ai jamais rien fait seule, moi qui ne suis jamais allée nulle part sans Ka, je suis dans un train qui file à travers l'Europe et je n'en reviens pas.

Il m'a suffi de prendre un billet, d'aller à la gare et de monter dans mon wagon. Personne pour m'arrêter, personne pour s'étonner que je voyage seule. Tout a été tellement facile que je regrette presque de ne pas être partie plus tôt… mais bon, en même temps, où aurais-je bien pu aller ? Avant les aveux de maman à propos de mon père j'étais persuadée que Kassandre et elle étaient ma seule famille.

Le train est presque vide, sur le quai je n'ai vu que quelques rares passagers, surtout des personnes âgées, et nous ne sommes que deux dans mon compartiment : moi et une mamie taciturne à la permanente bleutée qui s'est endormie à peine une demi-heure après le départ.

Quelque part je préfère ça qu'être totalement seule… même si je doute d'être capable de m'endormir avec les horribles sifflements qu'elle pousse entre deux respirations.

Nous avons quitté les espaces urbanisés et cela fait un petit moment déjà que la nature défile par la fenêtre. Moi qui aime tant la campagne, la voir ainsi, noire et mouvante à travers la vitre sale, me fait frissonner.

Je ne sais pas si c'est l'obscurité, la vitesse ou juste ce sentiment de solitude qui m'étreint l'âme depuis le départ de Ka, mais j'ai l'impression d'être avalée par ce tunnel d'arbres noirs aux branches torturées. Mon cœur se débat frénétiquement, mais j'ai beau tenter de le calmer j'ai la sensation que seuls les os blancs de ma cage thoracique sont aptes à le contenir, à l'empêcher d'exploser et d'aller recouvrir cette vitre grasse de chair sanguinolente.

Ma chair, mon sang, écrasés sur une fenêtre filant à 200 km/h dans la campagne obscure.

Je ne comprends pas ce qui m'arrive.

Depuis que je suis montée dans ce wagon, j'ai l'impression d'être une autre et je sens confusément que quelque chose d'anormal est en train de m'arriver. Même si je ne sais pas quoi.

C'est stupide, je dois être fatiguée et je me raisonne en me disant que je rirai bien de tout ça après une bonne nuit de sommeil… sauf que je n'arrive pas à dormir.

Dès que je ferme les yeux, c'est comme si deux pupilles rouges m'observaient *de l'intérieur* ; même le balancement régulier du wagon, habituellement si apaisant, me glace d'effroi en m'évoquant le rythme lancinant d'une mâchoire épaisse sur des os d'enfants.

Je pense à Cronos dévorant ses fils, à l'éternelle violence du monde, à l'avancement inexorable des secondes qui se conjuguent aux kilomètres avalés.

2 h 50

La vieille s'est enfin retournée et son agaçant sifflement a cessé.

Le calme du wagon m'envahit et mon cœur cesse sa sarabande infernale.

Il faut que j'essaie de dormir.

Dormir sous les yeux rouges qui me regardent…

cauchemar

Nuit du 5 au 6 mai

Mes enfants
Écoutez-moi…
Je dors depuis tant d'années que je ne rêve plus.

Je n'ai même plus conscience d'être là, pourtant les rumeurs du monde s'impriment jour après jour, nuit après nuit dans mon esprit.

Ce que j'entends ne me donne pas envie de revenir.

Mais il le faut car le temps est venu.

Les Hommes, misérables et faibles créatures, ont toujours été assoiffés de puissance et de violence.

J'espérais que le passage des siècles les assagirait et qu'ils finiraient par être dignes de ma présence.

Mais non, plus les années passent, plus ils sont nombreux et plus ils détruisent mon royaume.

Il y a des milliers d'années que j'ai créé l'Homme.

Avant moi il n'était qu'un animal à deux pattes ; il survivait, enchaînant les descendances en se reproduisant à l'infini, toujours identique, sans ambition, sans rêves, avec pour unique horizon le jour, l'heure ou même la minute qui suivaient.

Survivre, se nourrir, manger et ne pas être mangé. Tel était l'Homme avant que je le façonne, avant que je lui offre les étincelles qui allaient lui permettre d'effacer ses limites : le questionnement et la conscience de sa propre existence.

Plusieurs fois je me suis réveillé, plusieurs fois je suis revenu voir ce que l'Homme avait fait de mes dons et, à chaque fois, j'ai été déçu et ébloui : déçu par sa stupidité à reproduire encore et toujours les mêmes erreurs ; ébloui par ses créations magnifiques.

L'Homme est un faible dieu qui ne sait pas résister à sa part obscure.

Fidèle au rôle qui m'avait été confié, j'ai tenté de le guider vers la lumière mais toujours il pervertit mon message.

Il suffit.

Mes enfants.

Je vous entends.

Je vous attends.

Mes enfants, mes Génophores, écoutez-moi... réveillez les pouvoirs que je vous ai offerts, réveillez-les et venez à moi !

Georges

6 mai
Naples
Quartier de Scampia

Le gros scooter derrière lequel je suis juché roule comme un dingue entre les voitures, les poubelles et les Napolitains.

Il est à peine 17 heures et la ville grouille de piétons qui se retournent en râlant sur notre passage, mais ça n'a pas l'air de déranger mon chauffeur. De toute manière c'est un tel bordel dans le quartier qu'il aurait tort de s'en priver.

Je suis arrivé à Naples la veille et, malgré le cauchemar étrange qui m'a réveillé cette nuit, tout ce que j'y découvre me fascine, même si on est loin des images de carte postale auxquelles je m'attendais.

Les éboueurs font la grève depuis des semaines, les rues sont sales, encombrées de déchets. Il règne une odeur pestilentielle digne d'un charnier kosovar et pourtant on croise des femmes magnifiques, habillées comme des poupées, dont les talons aiguilles claquent sur les pavés à quelques centimètres de monceaux de sacs-poubelle éventrés.

Tandis que nous longeons les quais, j'aperçois la lointaine silhouette du Vésuve qui domine la baie bleue. Sans les tankers et les putes qui cachetonnent entre les containers du premier plan, ça mériterait presque une photo.

Bien arrimé aux poignées arrière du scooter, je me laisse transporter sans arriver à savoir si la ville est splendide ou complètement pourrie.

Naples m'a avalé, je parcours ses rues comme autant de kilomètres d'intestins. La ville est en train de me digérer.

Pour la première fois de mon existence, sans que je puisse expliquer pourquoi, je me sens incroyablement « à la maison ».

La balade se termine au bout d'une zone industrielle désaffectée devant l'entrée de ce que je devine être le quartier le plus dangereux de la ville.

Je pose les pieds au sol, content de descendre du scooter, mais avant que je puisse esquisser un pas mon chauffeur me saisit le bras et se met à me brailler dessus en napolitain.

— Maintenant t'enlèves ton casque, tu gardes toujours les mains libres et tu fais gaffe quand tu sors ton portable : quelqu'un pourrait croire que tu dégaines une arme à feu ! Sans déconner mec, j'te préviens, si tu ne respectes pas le code tu vas te faire fumer !

Le cinglé qui me hurle dessus est un petit brun d'à peine quinze ans, arborant une moustache aussi fine qu'un coup de rasoir.

Comme je ne lui ai pas décroché un mot depuis qu'il est passé me prendre à l'hôtel, il doit croire que je ne parle pas sa langue et s'agite comme un traducteur pour sourd et muet en appuyant chacune de ses recommandations par de grands gestes maladroits.

Je pourrais le détromper, mais je trouve plus drôle de le laisser gesticuler.

Il ne peut pas le savoir mais non seulement je le comprends, mais en plus il m'a fallu moins de vingt-quatre heures pour assimiler l'argot des bas quartiers napolitains.

Comment je fais ?

Je n'en sais rien.

C'est comme ça depuis toujours, comme ma bête noire et mon enfance de merde.

Je n'ai pas choisi, c'était un package.

N'empêche que, ce don-là, je ne crache pas dessus, parce qu'il s'est toujours révélé très utile dans les tours de Babel où j'ai erré depuis mon enfance.

Quand tu dois te débrouiller dans une cité où on parle plus de dialectes que sur les chaînes câblées, c'est un grand avantage de pouvoir communiquer avec tous les étages.

Le gamin a fini son laïus et me regarde en attendant que je réagisse.

Je pourrais lui répondre mais, là, j'ai mal dormi alors je n'ai pas envie.

Je me contente de le fixer en silence sans bouger, sans ciller, et il cède en premier.

Je pense qu'il a hâte de se débarrasser de moi, parce qu'il dégaine son portable pour annoncer à je ne sais qui que « le colis français » est arrivé.

Et puis, comme ce serait bête de ne pas profiter de ce coup de fil pour se marrer un peu, cet idiot se fout ouvertement de moi en lâchant à son correspondant une bordée d'insultes où il est question de ma mère, de ma sœur et de la taille de mon pénis.

Il me prend pour un débutant, pour un *brutto idiota di Francese* comme il le répète dans son portable en ricanant sans savoir que je comprends ce qu'il raconte.

En France je l'aurais déjà éclaté mais ici, je ne dis rien.

Je ne suis pas sur mon territoire, j'ai besoin du gamin pour me conduire à mon rendez-vous, alors je le laisse m'insulter et gesticuler sans broncher.

D'ailleurs, je sens bien que cette impassibilité, ça l'énerve.

Au lieu d'avancer, il prend des airs de gros dur, me parle en bombant le torse, écarte les pans de sa veste pour que je remarque le calibre clinquant glissé dans son jogging, lisse ses cheveux gras d'une main, dégage son mégot au loin d'un coup sec de l'index qu'il a dû répéter mille fois devant sa glace…

Je soupire.

Si cette caricature de mafieux espère m'impressionner, il va falloir qu'il en rajoute.

Pour un peu, il me rappellerait presque mes débuts dans le milieu : de mémoire j'étais aussi con.

Je me souviens que j'avais douze ans quand j'ai fugué de mon dernier foyer. J'étais bien décidé à ne jamais y retourner. Alors je me la suis jouée anguille.

Grâce à ma peau mate, à mes cheveux blonds et à ma capacité à parler n'importe quelle langue, je suis devenu gitan, serbe, turc, russe, espagnol... n'importe quoi qui me permette de trouver du boulot et d'échapper aux brigades des mineurs. Moi qui n'étais personne pour l'administration française, j'étais devenu qui je voulais et les mecs de la DDASS ne m'ont jamais retrouvé.

Petit à petit j'ai gravi les barreaux de l'échelle : surveillance des halls d'immeubles, transport de messages aux revendeurs, courses diverses pour les plus grands... exactement le parcours de l'autre andouille de Rital qui gesticule devant moi.

Et puis j'ai grandi, beaucoup grandi.

À quatorze ans, grâce à ma mâchoire carrée, mes yeux bleus, mes pommettes hautes et ma carrure de lutteur, j'ai pu intégrer les mafias des pays de l'Est. Mon mètre quatre-vingt-quinze m'a permis de passer dans la garde personnelle du caïd local, un Croate à la tronche de tueur qui me prenait pour un des siens depuis que je lui avais parlé dans sa langue maternelle.

Quand j'ai eu seize ans, le type m'a dégoté de vrais faux papiers et m'a permis de tourner le dos à Georges d'Épailly.

J'étais devenu Georg Zestic et j'aurais certainement fini à la tête d'un réseau si mon ascension n'avait pas été freinée par une tare rédhibitoire dans le milieu : j'ai... des scrupules.

J'adore ce mot bizarre, que j'ai découvert par hasard dans un bouquin. Quand je l'avais lu la première fois, j'avais été obligé de chercher sa signification dans un dico et son histoire m'avait tout de suite parlé. Ce mot vient du latin et désigne les minuscules cailloux qui se glissaient dans les bottes des légionnaires romains et que ceux-ci devaient garder jusqu'à la fin du parcours pour ne pas ralentir l'avancée de leur armée.

Le scrupule. Un truc petit, chiant, qui te blesse à chacun de tes pas et dont tu n'arrives pas à te débarrasser.

Exactement ce que j'avais : des saletés de scrupules à faire du mal aux innocents et qui me pourrissaient bien la vie.

Attention, je ne dis pas que je suis un enfant de chœur ! C'est juste que, si je ne répugne pas à briser quelques os de dealers concurrents ou couper quelques doigts de proxo albanais, j'ai plus de mal à cogner les commerçants allergiques au racket et je finis toujours par me fourrer dans des situations compliquées en refusant de tabasser ceux qui ne le méritent pas.

D'ailleurs, je me demande même si ce n'est pas à cause de ça que je me suis retrouvé en taule ; les renseignements dont les flics disposaient quand ils m'ont arrêté étaient un peu trop précis pour être honnêtes.

Bref, tout ça pour dire que le gamin en face de moi a beau se la jouer gros dur, il ne me la fait pas… et comme j'en ai marre d'attendre, je décide de faire avancer un peu les choses en lui balançant négligemment avec mon meilleur accent :

– Tranquille, mec, je n'ai pas besoin d'une nounou. Mon quartier n'est pas très différent du tien, je sais très bien comment me tenir… et si nous ne sommes pas trop en retard je serais ravi d'aller prouver à ta sœur que tu te trompes grandement sur ma virilité.

C'est une erreur, le Rital n'apprécie pas des masses que j'aie oublié de lui préciser que je parle sa langue… et encore moins que j'ose envisager de niquer sa frangine.

Je le sens se raidir et je n'ai pas le temps de réagir qu'il m'alpague par le col de mon blouson et me colle le canon de son flingue sur le front en crachant :

– Scampia ! Ici c'est Scampia ! Y a rien qui ressemble ! C'est la Camorra qui règne, pas une de vos bandes de racailles françaises à la con ! T'es rien ici mec, si je veux je te fume !

Le môme prononce « *la Camorra* » avec autant de respect dans la voix que s'il avait parlé de sa mère et, comme il utilise son arme pour ponctuer ses propos, je juge plus sage de lever immédiatement les mains en signe d'apaisement.

Les petites frappes du bas de l'échelle sont les pires.

Elles ont tout à prouver et leur sens de l'honneur est tellement chatouilleux qu'on peut mourir pour une parole mal choisie.

Là, visiblement, je viens de l'insulter.

– OK ! Ici on n'est pas en France, c'est ton territoire, c'est Scampia, c'est la Camorra qui dirige ; moi je suis *invité*, je ferme ma gueule et j'obéis.

J'insiste sur ma position d'invité pour lui rappeler à qui il devra expliquer mon absence si, par hasard, il se décidait à laver l'affront en me tirant une balle dans la tête.

Ça a l'air de le ramener à la raison ; il n'a pas envie d'arriver les mains vides devant son boss... et je le comprends.

Avant de foncer tête baissée au rendez-vous que m'avait fixé l'albinos, j'ai fait ma petite enquête sur le nom inscrit sur la carte de visite et la réputation de Vitali Camponi, Don Camponi, ne fait pas état de la moindre clémence envers ceux qui osent défier son autorité.

Selon Tänis, un Kosovar de ma cité qui a roulé sa bosse en Italie, ce type est le grand parrain de la Camorra et s'il est surnommé « l'Éplucheur » c'est à cause de sa spécialité : faire « peler » entièrement ses ennemis avant de les saupoudrer de sel et de les enfermer dans un coffre de bagnole avec des rats. Bref, même si Tänis en a sûrement rajouté pour se faire mousser, je suis certain que dessouder l'invité spécial du Don pour un vague sursaut d'orgueil vaudrait à mon chauffeur une mort longue et douloureuse... Surtout si, comme me l'a dit l'albinos, il apparaissait exact que je sois son fils !

Nous nous fixons comme deux chiens sur le point de se bouffer, mais le Rital doit en arriver à la même conclusion que moi car il baisse les yeux en premier et range son arme en maugréant.

Problème réglé.

Nous nous mettons enfin en route.

Des deux côtés de l'entrée du quartier de la Camorra, juste au-dessus de deux revendeurs de dope et de trois putes en plein travail, les façades aveugles des immeubles sont décorées d'immenses panneaux où, sur fond de mer azur et de plage de sable blanc, s'étale en italien et en anglais un slogan inattendu :

« *Bienvenue à Scampia.*
Si vous croyez en Scampia, vous y trouverez un océan d'amour. »

J'essaie de transposer un truc du même type dans mon quartier, mais rien que l'idée me fait marrer.
– Ils ont de l'humour les Napolitains…
Je voulais faire ami-ami, mais mon guide claque la langue.
– Arrête de faire chier, le Français ! T'es pas là pour faire du tourisme et Don Camponi n'aime pas attendre, alors bouge ton cul et me lâche pas d'une semelle !
Je repousse une seringue éclatée de la pointe de ma chaussure et me résigne à suivre cet idiot en silence. Moi qui avais le vague espoir que les mafieux napolitains auraient plus de classe que les Serbes de ma cité, je découvre que non seulement je rêvais debout, mais qu'en plus ils n'ont aucun sens de l'humour.

Nous pénétrons enfin dans les *Vele* : « *Vele* », les voiles… qui n'aurait pas envie de les mettre dans un décor pareil.
Les barres d'immeubles triangulaires ressemblent aux gréements d'immenses bateaux aux voiles gonflées par le vent ; sauf que ces navires voguent sur un océan de boue et d'ordures recrachées en pleine rue par des égouts saturés et puants.
En guise de poissons, quelques cadavres de chiens criblés de balles et de chats éventrés pourrissent sur les

trottoirs, tandis que les linges défraîchis qui sèchent aux fenêtres des rares appartements occupés claquent dans le vent comme des ailes d'oiseaux multicolores.

Où que mes yeux se posent ce quartier pue la mort… même la une de *La Stampa* lue par un vieillard sur le pas de sa porte a des relents de fin du monde.

Je déchiffre en passant : « *La fièvre hémorragique détectée dans différents foyers sur la planète serait due à un virus mutant encore inconnu. Au vu de la virulence de la souche, l'*OMS *recommande des mesures de prudence extrêmes et la fermeture des frontières des pays touchés.* »

Ça n'a pas l'air d'émouvoir le vieux, mais je le comprends ; quand on vit dans un quartier où seuls les rats semblent prospérer, l'enfer des autres est presque une bonne nouvelle.

Je garde mes réflexions pour moi et fixe sur mon visage un masque impassible, pendant que nous nous enfonçons dans une ruelle latérale.

Au bout de cent mètres mon guide s'arrête enfin et désigne une caméra du menton.

– Arrête-toi ici et lève la tête, *stronzo* !

Devant nous, l'entrée béante d'un parking souterrain s'ouvre sur les profondeurs obscures du quartier.

À part la présence de deux colosses armés de mitraillettes de part et d'autre de la rampe d'accès, et l'œil de la caméra qui fixe mon visage en clignotant, rien ne distingue ce parking de ceux que nous avons croisés jusqu'ici : murs lépreux tagués d'obscénités, déchets jonchant le sol et grilles métalliques tordues.

Pourtant ce trou béant m'attire comme un aimant.

Sous mes pieds la terre se met tout à coup à trembler, tandis qu'un grondement sourd déchire le silence.

Ça ne dure qu'une poignée de secondes, mais ma bête noire frémit.

– C'est quoi ça ?! je demande à mon guide.

Il hausse les épaules.

– *Il Vesuvio*… Il a déjà bougé comme ça la semaine dernière. Laisse tomber, mec, c'est normal.

Normal ? Je ne sais pas, mais ce qui est certain c'est que son volcan a réveillé mon dragon.

Ma bête noire s'étire dans ma conscience en grondant, comme si elle voulait répondre au Vésuve.

Ce n'est pas le moment, mais j'ai beau lui dire de se calmer elle ne m'écoute pas.

Mes oreilles bourdonnent, chacun des poils de mon corps se dresse, des milliers de pointes acérées me parcourent le corps.

Je m'étire dans toutes les directions, tends mon cou en arrière jusqu'à ce que mes vertèbres craquent, serre et desserre mes phalanges, roule des épaules.

Je lutte.

Quelque chose est en train de se passer.

Je suis connecté à ma bête noire comme jamais et je me sens… vivant, intensément vivant !

Je ne comprends pas… je n'arrive pas… à la maîtriser… elle… est… moi… je suis… *nous* !

– Ça va ?

Pour la première fois, la voix du gamin hésite et sa peur nous attire comme un aimant.

Il nous voit, son visage devient plus blanc qu'un linge et il recule d'un pas. Mais pas assez vite pour nous.

– Tes yeux, mec ! Tes yeux sont devenus noirs…

Nous le soulevons du sol en sifflant.

Nous voyons tout en même temps, sentons la peur envahir les hommes, leur pouls s'accélérer, leurs aisselles se tremper, leur gorge s'assécher.

Sans lâcher le gamin nous penchons la tête vers les deux colosses aux mitrailleuses qui pointent leurs armes vers nous en hésitant.

Ils sont faibles.

Leur peur les rend faibles.

Ils pourraient nous tuer rien qu'en appuyant sur la gâchette mais ils ne le feront pas : ils ont peur de toucher le gamin. L'un des leurs.

Ils sont faibles et nous pourrions…

– STOP !

La voix qui hurle est la mienne.

Je reprends le contrôle, repose le gamin et calme ma bête noire.

Elle s'ébroue, mécontente, mais recule enfin.

Je n'ai pas besoin d'elle, tout comme je n'ai pas besoin de bouclier humain.

Je n'en ai pas besoin car je sais que celui qui se cache derrière l'œil de la caméra a vu ce qu'il voulait voir et qu'il ne laissera personne me tuer.

Je suis celui qu'il attendait.

Je laisse la larve gémissante qui m'a servi de guide se recroqueviller sur le sol et m'avance bras en l'air vers le gouffre noir du parking.

Les deux molosses abaissent la gueule de leurs armes sans essayer de m'arrêter.

Je suis attendu.

journal de Mina

6 mai
23 heures

Je ne suis ici que depuis quelques heures mais ce que j'y ai découvert est si étrange que je pourrais aussi bien être arrivée il y a des mois. Si je reprends la plume ce soir, c'est que j'ai besoin de consigner ce qui m'arrive dans l'espoir que, en les écrivant, ces « choses » deviendront moins obscures pour moi.

Après une nuit de train agitée par des cauchemars, j'ai fini par arriver à Naples. J'étais exténuée mais heureuse d'avoir enfin fait quelque chose toute seule, et si Ka n'avait pas filtré mes appels, mon bonheur aurait été parfait.
D'ailleurs à ce jour rien n'a changé, je lui ai laissé des milliers de messages, mais rien : son téléphone sonne dans le vide et elle ne me rappelle pas.

J'avais décidé de me reposer une journée avant d'aller sonner à la porte de ma « famille » pourtant, sans que je sache pourquoi, alors que je n'avais jamais mis les pieds dans cette ville, mes pas en ont décidé autrement.

Après les longues heures passées dans le train, marcher m'a fait un bien fou. L'air était lourd car l'orage menaçait et le Vésuve grondait. Le ciel noir semblait posé sur les toits ; penchées aux fenêtres, les Napolitaines qui tiraient leurs fils à linge pour récupérer leur lessive me faisaient penser à des marins affalant les voiles de leur navire avant la tempête. Les rues se vidaient, ça sentait l'ozone, la mer et l'asphalte. Mon sac à dos pesait sur mes épaules et ma légère robe rouge se gonflait au moindre souffle d'air, m'obligeant souvent à la maintenir d'une main pour éviter de jouer les Marilyn Monroe égarées.

Je n'avais plus conscience de rien, j'avançais sans savoir vers quoi, mais avec la certitude d'aller là où était ma place... et j'ai fini par y arriver.

La ruelle se tenait à l'écart des grands boulevards et des palais, une ruelle noire et sale, qui portait encore çà et là des vestiges de sa grandeur d'autrefois : l'encadrement d'une fenêtre aux moulures délicates, une façade de pierre au fronton bosselé, ou une statue de saint encagée dans un écrin de fer ; cette rue était comme certaines vieilles femmes dont on devine la beauté sous les ravages du temps, au détour d'un regard ou de la courbe d'une pommette.

J'étais loin de l'idée que je m'étais forgée de la ville avant de partir. Sur Internet, Naples c'était soit les quartiers malfamés, soit les palais... mais cette ruelle condensait tout cela sur quelques mètres. C'était un extrait brut de la ville : une venelle où l'ancienne splendeur affleurait mais dont la quasi-totalité des portes avait disparu, murées par des parpaings tagués.

J'étais arrivée ici sans m'en rendre compte, marchant en automatique, comme en transe.

Quand je cessai enfin de me déplacer, je restai un moment sans réaction en me demandant ce que je faisais là, seule dans la ruelle sombre d'une ville inconnue.

Naples m'avait avalée, j'étais dans le ventre de l'ogre, l'orage grondait et les premières gouttes de pluie, énormes et chaudes, allaient s'abattre sur moi comme un suc gastrique pour me dissoudre et me digérer.

Quand le premier éclair déchira le ciel en silence, sa lumière se posa sur une porte à ma droite en faisant briller fugacement la petite plaque de cuivre scellée au-dessus d'une antique sonnette en métal ouvragé. Cela ne dura qu'une fraction de seconde, mais ce fut suffisant pour que je reconnaisse le nom qui y était inscrit : *Caracciolo Di San Theodoro*.

C'était le nom que j'avais arraché à ma mère, le nom de la famille de mon père. Un père qui avait consciencieusement enlevé, torturé, démembré et consommé des dizaines de personnes avant d'être démasqué par la police et de disparaître dans la nature.

Voilà ce que ma mère m'avait caché toutes ces années et que j'aurais continué à ignorer si j'avais été moins stupide.

J'étais, je suis, la fille de Carlo Caracciolo Di San Theodoro, la fille du Cannibale de Naples, celui dont les journaux du monde entier continuent régulièrement à retracer la vie avec horreur à chaque nouveau crime commis sur la planète.

Un monstre, le monstre, Carlo, mon père !

Au deuxième éclair le sol a tremblé. La pluie a commencé à tomber et j'ai tendu la main vers la sonnette, une tige métallique épaisse pourvue d'une lourde poignée de cuivre qui a basculé vers moi pendant qu'une cloche se mettait à résonner de l'autre côté de la porte.

Chaque goutte d'eau s'écrasait sur moi en laissant une trace pourpre sur le tissu écarlate de ma robe d'été, la collant à mon corps comme une seconde peau. J'ai posé mon sac sur ma tête pour me protéger, mais en quelques secondes j'étais trempée et c'est certainement ce qui explique que lorsque la porte s'est enfin ouverte je n'ai pas hésité une seconde à en franchir le seuil.

La femme qui se tenait devant moi était vieille, voûtée, ridée comme une pomme blette et ses cheveux blancs mêlés de jaune pendaient sans grâce autour de son visage pour aller s'écraser sur le col défraîchi du peignoir qu'elle tenait serré autour de son corps.

J'étais à l'abri, mais la porte était restée ouverte ; dans mon dos le rideau de pluie noir était balayé d'éclairs, inondant l'étrange vieillarde d'une lumière palpitante et blafarde.

Je dégoulinais, autour de mes ballerines une flaque commençait à se former sur le sol, mais j'étais incapable du moindre geste. J'aurais dû me présenter, expliquer les raisons de ma présence mais, inexplicablement, je sentais que c'était inutile. La femme savait qui j'étais (la suite des événements me prouverait même qu'elle le savait mieux que moi).

Khiara, c'était son nom même si je ne l'ai su qu'après, a lâché le montant de la porte pour tendre sa main osseuse vers mon visage. Sans doute voulait-elle vérifier que je n'étais pas un fantôme, car à peine l'extrémité de ses doigts eut-elle touché la réalité de ma joue qu'elle les retira brusquement pour les porter à sa bouche et étouffer un cri.

« *Sei viva !!* », voilà les seuls mots qu'elle me dit avant de répéter dans ma langue : « Tu es vivante !! Je n'arrive pas à y croire. Entre vite, ma fille. »

Khiara était ma grand-mère, j'étais arrivée chez moi et j'allais enfin découvrir qui j'étais.

Georges

6 mai
Naples
Quartier de Scampia

Quand la grille métallique du parking souterrain se soulève en grinçant, je m'avance sans hésiter dans les ténèbres.

Je n'ai pas peur car je sais que je suis enfin à ma place, que je suis arrivé chez moi.

Au-dessus de ma tête des néons à moitié arrachés pendent au bout de leur câble.

La seule lumière provient d'un feu de camp qui brille à une vingtaine de mètres de l'entrée. Autour du brasier, une grappe de gamins aux crânes rasés s'amuse en torturant un chien.

Le cabot jappe lamentablement sous les rires gras de ses tortionnaires et cette souffrance inutile me hérisse.

Ma bête noire grogne.

Je serre et desserre les poings en me demandant combien de temps il nous faudrait pour anéantir ces barbares, mais je ne fais rien.

Je ne suis pas là pour ça.

Un skinhead au crâne tatoué d'une croix gammée croise mon regard et ressent ma colère.

Il se déplie lentement mais je le dépasse sans intervenir et il se rassoit sans un mot.

Si j'ai franchi la grille, c'est que je suis l'un des leurs, alors il me laisse passer et je l'abandonne à ses jeux sadiques.

Je suis dans un garage clandestin.

Autour de moi sont entassées des carcasses de voitures désossées qui servent de magasins à des mécanos bricolant de futurs bolides de *go fast*.

Je reconnais deux Audi, une BMW et même une Porsche… que des allemandes.

Tout au fond, un type ressemblant à un crooner des années cinquante est assis sur le capot d'un Hummer flambant neuf. Armes bien en évidence à la ceinture, il se roule un joint en me regardant m'approcher tandis qu'à ses pieds gémit un homme au visage déformé par les coups.

Derrière lui une porte surmontée d'un cube luminescent indique la présence d'un ascenseur : l'accès aux étages.

Je m'approche.

— Tu veux quoi ? me jette le gominé en descendant de son capot.

J'indique la porte d'un coup de menton.

— Passer, j'ai rendez-vous.

Le mec rigole.

— T'as « rendez-vous » ?! T'es pas dans un putain de cabinet de dentiste ! Ici, si tu veux passer, faut que tu sois connu sinon tu restes là et t'attends qu'on vienne te chercher… ou pas, conclut-il en balançant un grand coup de pied dans les côtes de l'homme à terre.

Ma bête noire gronde de plus en plus fort.

Ce type est une ordure et elle est sur notre chemin.

Au-dessus de lui je repère l'œil obscur d'une caméra qui suit le moindre de mes mouvements. Je devrais attendre, mais je n'en ai pas envie alors je penche la tête sur le côté et, sans bouger un cil, lâche ma bête noire sur le gominé.

Je n'ai même plus besoin de parler.

Notre pouvoir a grandi.

Les peurs de l'homme défilent dans notre cerveau à toute allure.

Ce sont des peurs d'enfant, d'absurdes cauchemars de poupées et de clowns grimaçants.

Nous les saisissons de la pointe de nos griffes, soufflons dessus et les faisons grandir, grandir jusqu'à ce qu'elles prennent toute la place dans son esprit.

Maintenant, il n'est plus qu'un gosse dans la nuit cherchant à échapper aux longs doigts d'acier de poupées blafardes qui le poursuivent en riant pour l'émasculer.

Le gominé ne me voit plus, il hurle d'une étrange voix haut perchée et se met à courir dans le parking en tirant comme un fou tout autour de lui.

Au premier coup de feu, tous les autres ont dégainé et se sont mis eux aussi à tirer. Plus personne ne s'occupe de moi.

J'ouvre tranquillement la porte de l'ascenseur et referme derrière mon dos.

Deux rangées de dix-huit boutons me font face, mais la cabine s'ébranle sans que j'aie besoin d'en effleurer un seul.

Je dépasse tous les étages dans un bruit métallique.

La cabine s'arrête, les battants s'écartent en silence et je me retrouve face à la lumière.

– Entre, Georges, sois le bienvenu chez toi…

L'albinos qui m'a remis l'enveloppe en prison est debout en face de moi, mais ce n'est pas lui qui me parle.

La voix métallique provient de beaucoup plus bas, du fauteuil roulant qui est devant lui, et dans lequel est recroquevillé un corps qui n'a plus rien d'humain.

Je ne sais pas à quoi je m'attendais… mais certainement pas à ça.

Don Vitali Camponi est une masse informe, aux articulations plus tordues que des ceps centenaires, surmontée d'une tête presque chauve où palpitent de grosses veines bleues.

Je ne comprends pas comment une telle info a pu m'échapper, mais ce qui est certain c'est que les pouvoirs de ce type doivent être immenses pour qu'il ait réussi à cacher la vérité au monde… Car la vérité c'est que le parrain de la Camorra est infirme.

C'est un ersatz d'homme, une concrétion dont seuls les yeux rappellent l'humanité. Deux yeux du même bleu intense que les miens, qui me rappellent que ce type est peut-être mon père.

– Approche, Georges, tu ne dois pas avoir peur de mon apparence. C'est du cœur des hommes que tu dois te méfier, pas de ce qu'ils te laissent voir.

C'est bien lui qui me parle, mais ses lèvres ne bougent pas.

La voix métallique sort d'un boîtier greffé à son cou.

C'est le son le plus désagréable qu'il m'ait été donné d'entendre, pourtant ma bête noire ronronne de plaisir comme si elle connaissait cet homme, comme si nous étions… liés ?

– Je n'ai pas peur. Je veux juste savoir ce qui vous permet d'affirmer que je suis votre fils et pourquoi vous m'avez fait venir ici.

La tête de Vitali Camponi est retenue par une sangle au dossier de son fauteuil, mais il n'est pas totalement paralysé car je vois tout à coup ses lèvres bouger. Comme la plaie d'une brûlure éclatant sous la pression, elles s'étirent vers les côtés de son visage en découvrant ses gencives rosâtres.

Même si le spectacle n'est pas beau à voir, je comprends qu'il sourit.

– Si tu es ici c'est que tu sais que je dis vrai, sinon pourquoi avoir accepté mon invitation ? Mais si tu as besoin d'une preuve…

Sans rien ajouter, il pousse d'un doigt une manette qui dépasse de l'accoudoir de son fauteuil et se met à rouler doucement vers l'immense baie vitrée qui domine les toits des *Vele*.

L'albinos me fait signe de le suivre et les portes de l'ascenseur se referment derrière moi.

Nous sommes dans une pièce au sol de marbre, aux murs encollés de papier peint aux arabesques dorées.

L'expression « goût de chiottes » me vient instantanément à l'esprit. Entre les fauteuils et les canapés baroques qui sentent le neuf, la fresque de tigre qui scintille au plafond et l'immense écran plat encadré par une moulure dorée de douze centimètres, l'ensemble est plus kitsch qu'un décor de Bollywood !

Mais je n'ai pas le temps de balancer une vanne. L'infirme s'est arrêté au pied d'une peinture monumentale suspendue sur un des murs latéraux.

– Tu reconnais ? me demande la voix en conserve.

Vu que son tableau ne fait pas loin de quatre mètres sur cinq et que j'ai la même scène représentée sur ma médaille, il faudrait que je sois aveugle ou parfaitement idiot pour ne pas savoir de quoi il s'agit.

– C'est saint Georges tuant le dragon.

Même s'il est difficile de déceler quelque chose d'humain dans son visage, Don Camponi a l'air content de ma réponse.

Il porte avec difficulté sa main gauche à son cou et tire légèrement sur le col de sa chemise.

Là, entre les plis de sa chair tavelée, brille un bijou en or.

Je suis trop loin pour en distinguer les détails, pourtant je sais ; je sais ce qu'il va me montrer car ma bête noire m'a confirmé dès notre arrivée qui était cet homme.

Sa médaille est la sœur jumelle de celle que je porte à mon cou depuis ma naissance.

Celle à qui je dois mon prénom ; mon seul lien avec mon passé.

Je sais qui est cet homme, mais j'ai besoin qu'il me le confirme :

– Et vous croyez qu'un simple bijou me suffira ? Il va m'en falloir plus pour me convaincre.

Au moment où je la pose, je sais que ma question est stupide et le regard déçu qu'il me lance me le confirme aussitôt.

– Tu sais très bien qui je suis, Georges, tu l'as su dès que tu es entré dans cette pièce… et la bête qui sommeille en toi le sait elle aussi. L'important n'est pas de savoir qui je suis, l'important est de savoir qui tu es et ce que tu dois faire. Tu es un homme rare, mon fils, un homme qui possède un don précieux. Tu dois l'accepter comme une chance, pas comme une malédiction. Pourquoi brides-tu ton pouvoir ? Pourquoi le refuses-tu ?

La voix métallique résonne à mes oreilles. Je comprends les mots qu'il utilise mais je ne peux pas lui répondre ; j'ai besoin d'en savoir plus, de comprendre.

– Et je suis quoi exactement ? Un monstre ?

L'homme que j'ai du mal à appeler « mon père » secoue la tête.

– Tu es tout sauf un monstre. Comme moi, comme ta mère et comme d'autres disséminés depuis toujours sur la planète, tu es un être d'exception. C'est pour cela qu'on t'a enlevé à moi il y a vingt ans, c'est pour ça que je t'ai envoyé chercher par Jarod dès qu'il a découvert ton existence, pour te protéger et…

Me protéger ! Le mot me fait éclater de rire. Je me débrouille seul depuis vingt ans et cet infirme pense que je pourrais avoir besoin de lui sous prétexte qu'il est mon père ?

Je colle mes mains sur ses accoudoirs, me penche et visse mon regard dans le sien. J'ai un message à faire passer et je n'ai pas envie de me répéter.

– Arrêtez vos conneries ! Si je suis là c'est que vous avez besoin de moi. Pas le contraire. Alors crachez le morceau ou je me casse !

Mon dragon gronde de colère.

Nos filaments chuintants se dressent comme des ailes caoutchouteuses et étirent leurs ombres au-dessus de l'infirme. Un mensonge et nous prendrons notre envol. Une semi-vérité et nous plongerons au creux de son esprit pour obtenir des réponses.

– Tu veux savoir comment nous t'avons retrouvé ? grogne l'infirme.

Nous hochons la tête.

Sur notre main droite, une présence, froide, désagréable.

Sa main s'est posée sur la nôtre et...

C'est un électrochoc.

À son contact, ma bête noire se recroqueville en gémissant.

J'aimerais glisser mes doigts hors de ceux de mon père mais il est plus fort que moi.

Mon dragon hurle de douleur, une force sombre le repousse à grands coups de griffes au fond de mon esprit.

Jamais je n'ai eu aussi mal.

Je cède.

À genoux devant le fauteuil roulant, je laisse Don Camponi envahir mon esprit.

Il me parle et je *vois* les mots qu'il prononce se transformer en images.

Autour de moi, la pièce dorée a disparu.

Je suis dans un laboratoire.

Je vois l'albinos aux yeux rouges : Jarod.

Il a une blouse blanche sur laquelle sont brodés son nom et celui d'un labo : « Biomedicare, section K ».

Devant ses yeux défilent sur un écran des résultats sanguins avec des noms et des dates ; la liste semble ne pas avoir de fin, quand tout à coup un nom se détache en clignotant. Ce nom c'est le mien, suivi de l'adresse de la prison. L'albinos regarde autour de lui et pianote à toute vitesse sur son clavier. Mon nom s'efface et la liste repart de plus belle.

Brouillard.

Autre lieu.

Je suis dans une gendarmerie.

Je descends dans un sous-sol, ce sont des archives.

Un homme en uniforme est allongé au sol derrière un guichet.

Il a un sourire rouge en travers de la gorge.

Derrière lui l'albinos fouille dans les classeurs métalliques, en extrait un dossier cartonné que je reconnais car c'est celui qu'il m'a remis en prison, puis repart après avoir effacé toute trace de mon existence dans leur base de données.

Les images se mélangent et se fondent avant de disparaître.

Je suis de retour dans le salon doré.

J'ai mal à la tête et je dois cligner des yeux pour que ma vision redevienne nette.

L'infirme a lâché ma main.

– C'est comme ça que je t'ai trouvé, grâce à la prise de sang. Si Jarod ne t'avait pas effacé de l'ordinateur tu serais entre leurs mains à présent.

Je me souviens, il y a quinze jours, la prison et le dépistage obligatoire du VIH.

Mon mal de tête se dissipe enfin.

Je me redresse doucement en restant à distance de mon père ; son pouvoir est plus fort que le mien, mais je pense qu'il ne peut pas l'utiliser sans contact. Je ne l'oublierai pas.

Don Camponi et Jarod ne bougent pas, ils se contentent de me regarder en souriant. C'est un spectacle effrayant.

J'ai des milliers de questions à leur poser, pourtant, quand je me décide enfin à parler, une seule franchit mes lèvres.

– Où sont les autres ?

Je ne sais pas pourquoi je demande ça, ni de quels « autres » exactement je parle, mais quand mon père a posé sa main sur moi j'ai senti que je n'étais pas seul, que « d'autres » m'attendaient quelque part et que les deux hommes en face de moi en savaient plus qu'ils ne me l'avaient avoué jusqu'à présent.

L'albinos et Don Camponi se regardent furtivement. Ça ne dure qu'une fraction de seconde, pourtant je sais que j'ai posé la bonne question car ils ne me répondent pas.

J'insiste.

– Quand Jarod est venu me voir en prison il a dit qu'il était temps pour moi de connaître mes origines, mais je sais qu'il ne parlait pas que de mon père. Alors je veux savoir : je suis quoi exactement ? Où sont mes semblables, qui sont ceux qui nous recherchent et, surtout, pourquoi ?

C'est l'albinos qui me répond. J'ai toujours autant de mal à fixer ses yeux rouges, mais je n'y décèle pas de danger. Il prend son temps, il a l'air de se demander par où commencer.

– Je suis un scientifique, et plus exactement un hématologue. Tu comprends ce que ce mot signifie ?

Jamais un mec de mon quartier n'aurait osé me poser une question pareille, sauf à avoir des pensées suicidaires ; je suis un autodidacte et déteste qu'on me rappelle mes insuffisances.

– Vous avez lu mon dossier ! J'ai quitté l'école à douze ans, alors pas la peine de vous la ramener avec vos grands mots !

Il ne relève pas et se contente de m'expliquer qu'un hématologue est un médecin spécialiste du sang. Il le dit calmement, avec des mots simples et sans condescendance ; il ne me juge pas, il veut vraiment que je comprenne et j'en conclus que c'est important. J'abrège.

– Ouais, OK, tu es un genre de docteur qui soigne les maladies du sang... et donc ?

– Je suis médecin mais je n'exerce pas, je travaille dans le laboratoire de recherche de Biomedicare pour garder un œil sur les Enfants d'Enoch et...

Le nom du labo, je l'avais déjà vu tout à l'heure sur sa blouse, mais le reste me laisse perplexe.

Je le coupe.

– C'est quoi ça, les Enfants d'Enoch ?

L'albinos s'interrompt, il semble ne pas savoir jusqu'où il peut aller dans ses explications et Don Camponi répond à sa place.

— Ce sont nos ennemis, ceux qui sont à votre recherche, mais, Georges, il est trop tôt pour tout t'expliquer. Tu as posé une question, tu veux savoir où sont tes semblables. Bien, tu as raison, c'est la question la plus importante aujourd'hui et Jarod va te répondre… mais ne pose qu'une question à la fois.

Je soutiens son regard une seconde et m'incline ; cette histoire d'Enfants d'Enoch attendra.

L'albinos reprend la parole.

— Même si je suis au cœur de leur laboratoire, je n'ai pas accès aux données les plus sensibles. Pour toi, j'ai eu de la chance, tes résultats faisaient partie d'une vaste campagne de détection lancée au hasard, ils n'étaient pas prioritaires et c'est pour ça qu'ils n'étaient pas sécurisés, mais je sais que d'autres ont été retrouvés. Hier j'ai encore intercepté un résultat, l'une d'entre vous se trouve en Suisse et il faut que tu ailles la chercher avant que les Enfants d'Enoch ne le fassent.

Ils commencent à m'énerver ces deux-là. Je suis venu ici pour en apprendre plus sur moi-même et non seulement ils me lâchent les infos au compte-gouttes, mais en plus il faudrait que je leur serve de larbin !

— Et pourquoi vous n'y allez pas vous-mêmes ? Je croyais que *papa* était un des grands chefs de la Camorra. Enlever quelqu'un, vous devriez savoir faire, non ? J'ai quoi à y gagner, moi, dans cette histoire ?

Je suis en colère, ma bête noire recommence à bouillonner mais, immédiatement, la voix de mon père claque comme un fouet.

— Arrête ça, Georges ! Tu es puissant, mais tu dois apprendre à maîtriser ton pouvoir ! La bête qui est en toi est à ton service, pas le contraire. Respire, repousse-la !

Je serre les dents. Je n'ai pas de conseils à recevoir d'un infirme.

– Occupe-toi de ta chaise à roulettes et dis-moi plutôt pourquoi je devrais faire ce boulot !

Ni l'insulte, ni le tutoiement ne semblent l'atteindre et c'est de la même voix de boîte de conserve qu'il poursuit :

– Jarod a raison. S'il a repéré cette fille, les Enfants d'Enoch l'ont fait eux aussi et toi seul peux les combattre.

– Pourquoi ?

Mon père regarde l'albinos et incline légèrement la tête.

Visiblement il vient de l'autoriser à m'en dire plus car, cette fois-ci, celui-ci répond à ma question.

– Tu dois y aller parce que celui qu'ils enverront pour aller chercher la fille n'est plus humain. Sa force est immense. Envoyer la totalité des hommes de Don Camponi pour le combattre ne servirait à rien. Ton dragon et toi êtes les seuls à pouvoir l'affronter et nous ne sommes même pas certains que tu sois suffisamment fort pour le vaincre, car...

Le hurlement déchirant du tonnerre l'interrompt.

Dehors, l'orage qui couvait depuis un moment vient d'éclater.

Sa première semonce est tombée juste à côté.

Les lumières du salon clignotent un instant, puis s'éteignent en nous laissant dans la semi-pénombre de l'orage.

D'énormes gouttes de pluie s'écrasent sur les baies vitrées, effaçant peu à peu les lumières de la ville, qui scintillent au loin comme des lucioles.

Il ne faut que quelques secondes pour que les gouttes se transforment en rideau et le rideau en déluge.

Le bruit de la pluie nous absorbe dans son cocon humide, quand la sonnerie d'un téléphone retentit.

L'albinos décroche sans dire un mot.

Il laisse son interlocuteur s'exprimer quelques secondes, raccroche, se racle la gorge, me regarde, se tourne vers l'infirme et lance :

— Don Camponi, je dois vous parler, c'est important…

— Si je gêne, je me casse, pas de problème, dis-je en tournant les talons.

Claquement de voix métallique :

— Georges, tu restes ! Parle, Jarod !

Immédiatement, comme un bon toutou à sa mémère, l'albinos s'exécute.

— Comme nous le craignions, les Enfants d'Enoch ont localisé la Génophore. Une expédition va bientôt partir pour la Suisse… Il faut agir, vite !

Génophore ? Le mot n'a pas de sens pour moi mais résonne comme un murmure à mon oreille. Il m'est familier, j'ai la sensation de l'avoir déjà entendu il y a très longtemps.

— Une *Génophore* ? C'est quoi ça ?

— Un Génophore est un porteur de gènes très particuliers ; c'est ce que tu es, Georges. Un être rare, précieux, mais qui ne peut développer sa puissance qu'en compagnie de ses semblables, me répond Don Camponi.

— Comme vous ?

– Non, Georges, j'ai des pouvoirs mais il n'existerait que quatre Génophores... D'ailleurs, avant de voir le résultat de ton analyse de sang, nous pensions tous que votre existence n'était qu'une légende. Pourtant, voici que vous êtes deux à débarquer de nulle part ; mais si tu veux en savoir plus, il faudra que tu ailles en Suisse pour empêcher ta semblable de tomber aux mains des Enfants d'Enoch.

Hier, j'étais seul, et voici qu'en un instant je découvre que nous sommes quatre et qu'il existe même un terme pour me désigner : je suis un Génophore !

– Georges, les choses s'accélèrent. Si mon informateur a raison, il faut absolument que tu ailles chercher cette fille avant qu'ils ne la trouvent, me presse Jarod en me tendant un dossier. Tu trouveras tout ce que tu as besoin de savoir là-dedans et, pour tes frais, tu peux utiliser cette carte... Ses fonds sont illimités, ajoute-t-il en me tendant un rectangle de plastique noir où mon nom de baptême étincelle en lettres argentées.

Je grimace. Moi qui voulais oublier Georges d'Épailly, il semble que ce ne soit plus d'actualité.

Je glisse la carte dans la poche de ma veste et ouvre le dossier. Il contient la photo d'une nana aux cheveux noirs, une brève histoire de sa vie et les plans d'un pensionnat suisse. Je suis déçu, car ce visage ne me parle pas ; nous sommes censés être de la même espèce mais son regard ne m'évoque rien.

– Vous êtes certains que c'est bien elle ?

J'aimerais qu'ils aient un doute, mais Jarod est formel : il connaît son métier et le sang ne peut pas mentir.

Alors je hoche la tête et me lève pour partir.

Yolande de Lamartinière m'attend.

cauchemar

Nuit du 6 au 7 mai

Mes enfants.

J'entends vos cœurs battre à l'unisson et se rapprocher de moi.

Écoutez-moi, mes enfants, car le temps est bientôt là et nos ennemis vous guettent.

Souvenez-vous de moi.

Je suis le néant, l'éternité, le début et la fin, l'alpha et l'oméga.

Je suis une bulle noire qui flotte entre deux eaux profondes et que la pesanteur légère du temps fait stagner au milieu du grand rien.

Mes fils, écoutez avec vos sœurs… Pour eux, je suis le mal ; celui qu'ils lisent au cœur du regard mort des condamnés que tout espoir a désertés ; celui dont ils hument les effluves putrides dans les charniers où s'enlacent des cadavres décomposés ; celui qu'ils goûtent en mordant la chair tendre des petits enfants et dont vous entendez les cris résonner au tréfonds des Enfers.

Pour eux je suis le Mal, le Vrai, l'Unique ; l'être immonde et sans aucune pitié, aucune compassion, aucun sentiment si ce n'est l'extase d'être ce que je suis, car ils pensent que ma seule jouissance est dans leur souffrance.

Mais vous, mes enfants... vous savez qu'ils ont tort, alors écoutez-moi : les hommes se trompent, car nul ne peut égaler le mal qu'ils s'infligent à eux-mêmes.

Je ne suis que le miroir des hommes et ils sont leur propre démon.

journal de Mina

7 mai
1 h 50

Je pense que le thé que ma grand-mère m'a fait boire pour m'aider à me réchauffer était drogué car, même si j'étais fatiguée, rien n'explique que je me sois réveillée presque vingt heures après mon arrivée... et encore moins que je sois en train de me transformer en cette « chose » immonde que je ne reconnais pas !

J'ai peur d'être en train de devenir folle et j'ai besoin d'écrire ce qui m'est arrivé dans l'espoir que, couchés sur le papier, tous ces événements étranges deviennent plus clairs.

Mes souvenirs de cette première nuit sont flous, mais je pense qu'il est important que j'essaie de les retracer.

Une fois franchi le seuil de la porte, l'orage s'était déchaîné, faisant d'un coup sauter toutes les lumières du quartier. Me retrouver ainsi dans le noir, dans une ville inconnue, face à une étrangère m'avait brusquement fait prendre conscience de la folie de mon voyage.

Je me souviens de m'être mise à trembler et d'avoir été incapable de réagir quand Khiara m'avait prise par la main pour m'entraîner avec elle dans les profondeurs de sa maison.

Au bout d'un long couloir obscur luisaient les lueurs dansantes d'un feu crépitant, et nous avons débouché sur un salon.

La chaleur y était étouffante et, pendant un instant, je me suis demandé qui pouvait être assez fou pour faire un feu en mai dans une région aussi chaude que le sud de l'Italie, mais balayant cette pensée je me laissai vite distraire par l'ambiance étrange de la pièce.

Sur le Net, avant de partir, j'avais regardé nombre de palais napolitains et j'avais appris à en apprécier l'opulence baroque… mais rien ne m'avait préparée à ce que je découvrais autour de moi. C'était comme avoir fait un bond dans le temps pour atterrir en plein XVIIe siècle !

La pièce, qui était pourtant grande, était tellement encombrée qu'elle en paraissait minuscule ; impossible de faire un pas sans me cogner à une petite table de bois précieux surchargée de bibelots religieux insolites.

Entre la chaleur, l'orage qui grondait au loin et l'oppressante opulence de la pièce, j'ai senti un moment la tête me tourner ; la lumière mouvante des flammes donnait vie à chaque détail, s'attardant sur une grimace de diable cornu, le hurlement silencieux d'un martyr ou l'œil fou d'une sainte en plein délire mystique.

Ma robe collait désagréablement à ma peau et je sentais mes ballerines gorgées d'eau émettre des bruits spongieux à chacun de mes pas aussi, quand Khiara me donna une serviette, je n'hésitai pas une seconde à me dévêtir pour me sécher et enfiler l'épais peignoir de velours cramoisi qu'elle me proposait.

La fraîcheur de la soie de la doublure me fit frissonner, mais il ne fallut que quelques minutes au vêtement pour s'adapter aux besoins de mon corps ; curieusement, même s'il était visiblement très ancien, il était parfaitement à ma taille et, quand ma grand-mère me vit en caresser le col, elle me dit cette chose étrange : « Les objets ont une âme, *cara mia*, et ce peignoir te reconnaît. »

C'était stupide et je crus un moment avoir mal traduit ses paroles mais, avant que j'aie le temps de lui demander de répéter, elle tapota le coussin placé à sa droite sur le canapé où elle avait pris place.

Je m'assis et laissai le silence s'installer.

Pendant de longues minutes Khiara ne prononça pas un mot, et se contenta de m'observer. Même si j'étais gênée, je la laissai faire et en profitai pour détailler l'immense tableau surmontant la cheminée.

Pour avoir étudié cet épisode de l'évangile en classe je le reconnus aussitôt ; c'était une résurrection de Lazare, mais je n'en avais jamais vu de pareille. Bien que visiblement très ancien, le tableau était si réaliste que l'homme sortant de son tombeau avait l'aspect d'un cadavre putréfié.

Mon visage dut refléter mon dégoût, car tout à coup Khiara prit ma main pour me rassurer : « Les morts font partie de la vie, ma fille, tu ne dois pas en avoir peur », me dit-elle avant de saisir mon menton pour m'obliger à tourner le visage vers elle.

Puis elle me demanda de l'écouter et c'est ce que je fis.

Face au feu, pendant plus d'une heure, ma grand-mère me parla de mon père, Carlo ; pas celui que les journaux avaient surnommé le Boucher de Naples, et dont j'avais découvert avec effroi la folie meurtrière, mais celui qui était son fils, celui qu'elle avait porté dans son ventre, qu'elle avait élevé, aimé et que, comme Khiara me l'expliqua, ma mère avait elle aussi aimé avant de découvrir sa véritable nature et de disparaître à jamais alors qu'elle était enceinte.

Je l'ai écoutée sans rien dire, sans rien demander, me contentant de boire à petites gorgées le thé que sa bonne avait apporté ; un thé noir, fort, amer… jusqu'à ce que mes yeux se ferment sur un sommeil agité de rêves étranges.

D'ailleurs, puis-je parler de rêves ? Ne devrais-je pas plutôt parler de cauchemars ? Toute la nuit j'ai eu l'impression de flotter, comme si j'étais à demi éveillée, ou à demi endormie.

À la fois consciente et inconsciente, j'étais allongée sur un édredon de plumes pendant que des mains douces aux ongles longs peignaient ma chevelure, caressaient mon corps et qu'une voix rauque aux accents chantants me murmurait… des choses.

Lesquelles ? Pour tout dire je ne m'en souviens pas mais il me semble que c'était à la fois agréable et profondément effrayant.

À mon réveil j'avais dormi presque vingt heures, j'étais glissée entre des draps de lin, recouverte d'un épais édredon et allongée dans un immense lit à baldaquin tendu de lourdes tapisseries mordorées. Je portais une fine chemise de batiste blanche que je ne me souvenais pas d'avoir enfilée et mes cheveux, qui avaient été démêlés et brossés, se répandaient en boucles soyeuses sur mes épaules.

Comme je l'ai dit, j'avais dormi presque une journée entière, aussi la chambre aurait été plongée dans la pénombre si quelqu'un n'avait laissé une bougie allumée.

La bougie était posée sur une coiffeuse marquetée et sa lumière se reflétait dans le grand miroir ovale installé au-dessus du plateau ouvragé. Posée en équilibre contre la hampe du bougeoir, une grande enveloppe blanche portait mon nom ; lorsque je l'ouvris, j'y découvris sans surprise un message de Khiara.

Cara mia,

Je dois te laisser seule pendant quelques heures pour aller prévenir le reste de la famille de ton existence. Tu trouveras de quoi t'habiller dans l'armoire et je sais que ma bonne Esmée s'occupera bien de toi. N'hésite pas à lui demander tout ce dont tu aurais besoin. Tu es ici chez toi, va où bon te semblera mais ne sors pas la nuit. Naples est une ville dangereuse pour une jeune fille seule, je viens juste de te retrouver et mourrais de devoir te perdre maintenant.

À très vite.

Ta grand-mère qui t'aime.

J'avais à peine fini ma lecture qu'un discret cognement m'indiqua que quelqu'un attendait à ma porte. Je criai d'entrer et une minuscule bonne femme, portant un bonnet de dentelle et un uniforme de soubrette digne d'un roman victorien, pénétra dans ma chambre.

Elle poussait devant elle un chariot recouvert d'un napperon blanc sur lequel étaient disposés une carafe, des couverts et une cloche d'argent d'où s'échappait un filet de vapeur parfumée. L'odeur réveilla mon estomac engourdi, me rappelant que je n'avais rien avalé de consistant depuis mon maigre dîner à bord du train et que je mourais de faim.

Esmée, car c'était bien entendu la bonne de ma grand-mère qui se tenait devant moi, souleva la cloche et me fit signe de me restaurer. Croyant un instant qu'elle pensait que je ne comprenais que le français, je lui répondis aussitôt en italien... mais je me trompais.

Devant mon insistance à vouloir bavarder, Esmée desserra les lèvres et me montra la cavité obscure de sa bouche : un espace vide où, en guise de langue, je ne découvris qu'un infâme moignon violacé.

La bonne de ma grand-mère était muette !

Moi qui espérais continuer auprès d'elle mes investigations concernant mon père, j'en étais pour mes frais et je me résignai à attendre le retour de Khiara.

Végétarienne depuis des années, je craignis un instant de ne pas pouvoir manger les plats qui m'étaient proposés. Heureusement, si je fus obligée de délaisser une partie des antipasti, le plat principal était un risotto aux asperges, si fondant que j'en fermai les yeux de plaisir.

Malgré mon âge, Esmée avait ajouté une carafe de cristal emplie d'un liquide vermeil que je devinai être du vin mais que je ne touchai pas, me contentant de vider la bouteille d'eau pétillante posée sur le plateau.

Quand je fus enfin rassasiée il était presque 23 heures, et donc hors de question pour moi de partir explorer la ville.

À défaut de promenade je décidai d'en profiter pour appeler Ka mais j'eus beau chercher dans toute la chambre je ne trouvai aucune de mes affaires.

Me souvenant avoir posé mon sac dans le salon où nous avions parlé la veille et ne voyant nulle part mes vêtements, je me résolus à fouiller dans la grande armoire afin d'y dénicher de quoi m'habiller.

J'écartai les lourdes portes de bois sculpté et aussitôt une forte odeur de naphtaline me sauta au visage. Je n'y retrouvais pas mes affaires, mais ma grand-mère avait pensé à tout. Bien rangés dans une housse transparente, des vêtements propres m'attendaient.

Comme le peignoir de velours et la chemise de batiste dans laquelle j'avais dormi, la robe et les sous-vêtements de soie que je trouvai glissés dans une pochette parfumée attachée au cintre étaient parfaitement à ma taille… mais bien loin de ce que j'avais l'habitude de porter !

J'enfilai le body de dentelle et la courte robe vert d'eau, glissai mes pieds dans les ballerines brodées qui reposaient dans une boîte sous une couche de papier de soie et, malgré ma hâte de récupérer mon téléphone pour raconter mon aventure à Ka, je pris le temps d'admirer mon reflet dans la psyché trônant en face du lit…

J'eus du mal à me reconnaître.

Moi qui n'ai jamais possédé de vêtements de luxe, je dois avouer que le résultat était bluffant. Avec ma peau laiteuse, mes cheveux roux et mes yeux verts, cette robe dont la coupe princesse soulignait ma poitrine en mettant ma taille fine en valeur me faisait ressembler à un elfe diaphane ou à un modèle de Botticelli échappé de sa toile.

Avec Ka c'était toujours noir, cuir, jean ; tout ce qui pouvait nous faire ressembler à des filles, nous rendre désirables, était perçu comme un blasphème.

Pour lui faire plaisir j'avais toujours abondé dans son sens, mais je compris devant mon reflet que j'aimais celle que je découvrais : j'aimais la douceur de la soie sur ma peau, j'aimais deviner la pointe de mes seins sous le tissu léger et sentir mes boucles rousses voler librement autour de mon visage comme un nuage vaporeux.

Je tournai sur moi-même en riant et, avisant la veste assortie à la robe que j'avais laissée dans la housse, je décidai tout à coup de l'enfiler malgré le fait qu'elle soit plus conçue pour une sortie au théâtre que pour un simple voyage au bout du couloir.

La doublure de satin glissa sur ma peau dans un frémissement soyeux. Cette veste était une vraie merveille ; un col rond taillé à vif, des bords droits sans aucun bouton, juste une minuscule poche ronde plaquée à la hauteur de mon sein droit et décorée d'un magnolia de tissu un peu froissé.

Machinalement, j'ai tendu la main vers la fleur pour en redresser les pétales et c'est là que j'ai senti le renflement de la poche : quelque chose était resté à l'intérieur.

Insérant les doigts dans le petit espace j'en retirai un pochon de velours assez lourd dont je délaçai aussitôt le cordon avant de le retourner pour en déloger le contenu : une lourde médaille d'or tomba sur la paume de ma main tandis que la chaîne qui la retenait glissait entre mes doigts comme une rivière brillante.

Un chevalier transperçant un dragon était finement gravé sur le recto du bijou, un travail si précis qu'à la lumière de la bougie on aurait pu croire l'animal vivant. Je n'avais jamais rien possédé d'aussi beau, mais avant de la glisser autour de mon cou je regardai à l'intérieur du pochon pour vérifier qu'il ne contenait pas d'autre trésor.

Et c'est là que je le découvris : un morceau de papier plié en huit qui allait me plonger dans la plus profonde perplexité ; car sur ce papier il y avait mon nom, Mina, suivi d'un seul mot :

FUIS !

Kassandre

9 mai
Suisse, Saint-Gall
Institut auf dem Zugerberg

C'est au moins la centième fois que je me retourne dans mon lit pour consulter les chiffres luminescents de mon réveil.

Il est une heure du matin mais j'entends encore six cœurs. Six cœurs dont le rythme cardiaque me prouve que leurs propriétaires gardent les yeux bien ouverts.

Six personnes éveillées contre cent dix-huit qui pioncent, c'est six chances de nous faire choper.

Il est encore trop tôt pour bouger alors je me remets sur le dos, enclenche un autre album sur mon iPod et me résous à attendre encore un peu.

J'ai fini par me rendre à l'évidence : ce soi-disant pensionnat est en fait une prison pour gosses de riches, une maison de redressement très chic et, si notre plan ne fonctionne pas, j'ai peur de rester coincée ici sans nouvelles de Mina jusqu'à ma majorité... sauf que ça, vu les cauchemars que je fais en ce moment, c'est une option inenvisageable !

Ça fait deux nuits que je dors à peine. Le même cauchemar revient sans cesse : une voix me parle tandis que deux yeux rouges me hantent, comme si mon cerveau était un code-barres et que ces yeux le scannaient pour chercher à en extirper... des choses !

Quelles choses ? Je ne sais pas.

Ce que me raconte cette voix a beau ressembler aux paroles d'un mauvais groupe de death metal, j'ai la certitude que ce qu'elle me murmure a un rapport avec Mina et il est vital que je réussisse à la joindre.

J'ai un mauvais pressentiment ; même si je ne suis pas superstitieuse, ces rêves sont trop réels pour que je les balaie d'un revers de la main.

Heureusement, ce soir je serai enfin fixée.

Notre magouille avec le prélèvement de sang de Yo a fonctionné. Son test s'est révélé négatif, elle n'a pas été virée et a tenu sa promesse : elle a réussi à dénicher un portable et elle a promis de m'aider à le faire fonctionner.

Malheureusement, les fachos de la pension ont installé des brouilleurs alors nous sommes obligées d'attendre que tout le monde dorme pour aller sur la seule zone du parc où il paraît que le réseau passe encore.

J'ai hâte d'y être, hâte d'entendre la voix de Mina se moquer de moi et me dire que je me fais des idées.

1 h 30

Je me concentre et les cent vingt-quatre cœurs qui pulsent dans le pensionnat apparaissent sur ma carte mentale : plus que trois personnes éveillées, mais comme elles se déplacent j'en conclus que ce sont les gardiens de nuit et qu'il est inutile d'espérer qu'ils s'endorment.

C'est le moment de tenter le coup.

Je coupe à regret mon album d'Amon Amarth sans en attendre la fin, enlève mes écouteurs et me glisse dans le noir.

J'ai encore la tête remplie d'images grandioses de guerriers vikings et de combats de dieux scandinaves, des visions qui s'imposent à moi quand j'écoute ce groupe suédois, et l'espace d'une seconde je sens leur force et leur violence inonder mes veines.

J'ai envie de chanter mais ce n'est pas le moment ; le couloir est silencieux et le simple fait de gratter doucement le battant de la porte de Yo fait un boucan d'enfer.

Je ferme les yeux et les trois cœurs rouges apparaissent : ils sont réunis dans la salle de repos et, si j'en crois leurs habitudes, nous avons une bonne demi-heure avant leur nouvelle ronde ; il faut y aller.

Yo arrive enfin et me fait signe de la suivre.

Toutes les ouvertures sont reliées à l'alarme, sauf le vasistas du vestiaire de gym des mecs... un secret que se refilent précieusement les toxicos du pensionnat depuis des années.

À l'intérieur, ça pue la chaussette et la sueur rance ; l'ouverture est étroite mais nous passons sans problème et en moins de cinq minutes nous nous perdons sous les arbres du parc.

Je n'en peux plus d'attendre.

– C'est encore loin ?

– Pas trop, cinq minutes si on ne croise pas un des veilleurs de nuit, me répond Yo en chuchotant.

La nuit masque mon sourire. Moi je sais qu'il n'y a personne dans le parc, mais comme je me vois mal lui expliquer COMMENT je le sais, je préfère me taire et me concentrer sur le chemin que nous empruntons.

J'ai déjà arpenté ces jardins en plein jour à la recherche d'une issue, mais la nuit les rend différents, étrangers, hostiles. Au bruit des gravillons qui roulent sous mes Doc je sais que nous sommes sur une des allées qui sillonnent les cinq hectares de la propriété, mais dans la lumière tremblotante de nos torches j'ai l'impression de fouler un tapis de dents pointues et minuscules.

C'est un chemin annexe, moins bien entretenu que les autres et si étroit que nous avançons épaule contre épaule. Nous progressons lentement, les branches des pins s'agrippent dans nos chevelures et nous giflent parfois le visage.

– Mets-toi derrière moi, on est presque arrivées mais faut quitter le chemin, c'est juste au bord de l'étang, me murmure Yo en désignant l'ombre sur notre droite.

Sans hésiter elle s'enfonce dans les fourrés.

Ici, il n'y a plus d'arbres mais nous progressons pourtant encore moins vite. Mes pieds s'enfoncent dans un humus spongieux d'où mes bottes s'extirpent avec un détestable bruit de succion ; ça sent la pourriture et l'eau croupie.

Je manque de tomber et me rattrape *in extremis* aux épaules de Yo.

– Bordel ! c'est quoi cet endroit, ça pue la charogne !

– On n'a pas le droit d'être ici, c'est censé être la zone écolo du bahut, c'est un compost géant. Regarde sur quoi tu marches, me répond Yo en gloussant.

Je réprime un haut-le-cœur : ce que j'avais pris pour de l'humus et des brindilles est en fait un mélange d'ordures végétales et de minuscules vers blancs dont le grouillement obscène me dégoûte.

– Je comprends mieux pourquoi ils n'ont pas mis de brouilleur ici ! C'est dégueulasse !

– Allez, pleure pas chochotte, on est arrivées.

Yo a raison, derrière un dernier rideau d'arbres je découvre l'étendue noirâtre d'un étang sur lequel glissent des lambeaux de brouillard. Le sol est toujours aussi spongieux mais les vers immondes ont disparu.

– Vas-y, passe ton coup de fil mais ne bouge pas trop parce qu'on n'a qu'une barre, me presse Yo en me tendant son téléphone avant de s'éloigner.

Je sais qu'elle a rendez-vous avec quelqu'un et que je peux prendre mon temps.

J'éteins ma torche.

Mes doigts glissent de mémoire sur le clavier et mon cœur bat la chamade.

Mina, je vais enfin parler à Mina.

Ça sonne étrangement, six fois, puis ça coupe brusquement.

Elle doit dormir ; je relance l'appel.

– Décroche, ma belle, décroche…

Toujours ces six étranges sonneries et la même coupure juste avant la messagerie.

J'ai dû me tromper alors je recommence, lentement cette fois-ci, et je presse la touche d'envoi.

La vision de la brume glissant sur l'eau noire me fait frissonner, je cherche Yo du regard mais ne la trouve pas.

Une, deux, trois, quatre, cinq, six sonneries… et rien !

J'entends des bruits, des grognements au loin et je souris en imaginant à quel type de rendez-vous s'est rendue Yo.

Je rallume ma torche, prends tout mon temps, vérifie deux fois le numéro qui s'inscrit sur l'écran avant de relancer l'appel.

Même sonnerie, même silence et au bout de dix minutes je commence à douter : et si j'avais oublié un indicatif ? Après tout je ne suis plus dans le canton de Vaud mais dans celui de Saint-Gall. Je souris, soulagée. Évidemment que c'est ça.

– Yo, tu peux me dire…

Mais je ne finis pas ma phrase, je ne la finis pas car je suis seule et je viens de prendre conscience de quelque chose de terrible : où que soit Yo… je n'entends plus son cœur !

Je déglutis péniblement. Je dois me calmer, me concentrer.

C'est impossible. Depuis toujours J'ENTENDS le cœur des gens, je ne sais pas comment, je ne sais pas pourquoi, mais c'est un FAIT. Ne pas l'entendre ne peut signifier qu'une chose et j'ai peur.

Respirer, je dois respirer calmement et me concentrer.

Immédiatement les cent vingt-quatre cœurs du pensionnat m'apparaissent : cent dix-huit dorment ; trois sont dans la salle de repos des gardiens mais Yo n'est pas avec eux.

J'inspire profondément et étends mon esprit : à quelques kilomètres au nord il y a une maison avec six occupants, sur la route à l'ouest il y a des cœurs qui bougent à grande vitesse dans le plus grand désordre – une autoroute – et à l'est… à l'est il y a Yo, Yo dont le cœur bat si vite que je le sens à deux doigts d'exploser. C'est à deux kilomètres environ, c'est pour ça que je ne la sentais pas.

Comment a-t-elle pu parcourir une telle distance dans les bois en aussi peu de temps ? Et pourquoi ? Elle aurait décidé de s'enfuir sans me prévenir ?

J'hésite à la rejoindre quand quelque chose de noir, de froid, se glisse dans mon esprit et me regarde avec surprise.

– *Qui es-tu ?!*

La voix résonne dans ma tête et la douleur est intense. Deux yeux rouges me fixent. Ce ne sont pas les mêmes que ceux de mon cauchemar ; ceux-là sont répugnants, d'une abjection sans nom.

– *Je sais que tu me vois ! Qui es-tu ?!*

Je sens la fraîcheur spongieuse de la boue sur ma joue ; ma main flotte à la surface de l'étang. J'ai vaguement conscience que j'ai dû tomber mais seule m'importe la brûlure ardente qui colonise mes pensées.

Aux yeux rouges s'est ajoutée une fine bouche aux lèvres craquelées qui s'entrouvre sur une langue adipeuse.

Quoi que soit cette Chose elle me cherche, elle me veut et je comprends que Yo est avec elle par erreur.

Le sang, le sang de l'éprouvette.

Je n'aurais pas dû.

Les lumières du parc se sont toutes allumées ; j'entends des cris et les aboiements des chiens. Notre absence a été découverte et les gardes sont à notre recherche. La Chose le sait et elle siffle de dépit.

Elle ne m'aura pas ce soir et comprend que Yolande ne lui sert plus à rien car c'est mon sang et pas le sien qu'elle recherche.

Dans mon esprit la voix susurre, tandis que les yeux rouges se plissent de plaisir.

– *Regarde, Génophore, regarde et admire cccce que les Enfants d'Enoch font de leurs ennemis.*

Puis des images envahissent mon esprit.

La Chose m'oblige à voir par ses yeux ce qu'elle fait subir à Yolande.

Des images insoutenables qui me font prendre conscience de l'énormité de ce que j'ai fait en échangeant mon sang avec celui de mon amie.

Georges

9 mai
Suisse, Saint-Gall
Institut auf dem Zugerberg

« Flash spécial : de nombreuses voix médicales déclarent que des liens existeraient entre les différents foyers épidémiques de fièvre hémorragique relevés depuis le début de la semaine à travers le monde. On compte déjà 12 500 morts en Afrique de l'Ouest, 8 900 morts au Bangladesh, plus d'une centaine en Papouasie et 128 cas suspects auraient été détectés en Amérique centrale. L'OMS a déclaré qu'elle allait d'urgence envoyer des experts sur chaque foyer épidémique afin de confirmer ou infirmer cette rumeur. Dans l'attente des résultats, le ministère des Affaires étrangères français recommande de suspendre tout projet de voyage à destination des pays où des cas de fièvre hémorragique sont suspectés comme la Guinée, la Sierra Leone, les Liberia, Nigeria, Bangladesh, Papouasie, Nicaragua et Guatemala. Dans une interview à paraître ce matin, le ministre de la Santé estime que si le risque d'arrivée en Europe du virus est faible, il convient néanmoins de faire preuve d'une extrême vigilance face à la possible existence d'un virus à la fois très dangereux et très contagieux, qui pourrait progresser dans le monde à une vitesse fulgurante. En Suisse, le P-DG de Biomedicare, Karl Báthory de Kapolna, indique que ses équipes mettent tout en œuvre pour trouver un remède. Après le jeune rescapé gabonais de six ans, ce sont un Nicaraguayen de huit ans, une Indienne de quatorze ans et son bébé de six mois ainsi que trois autres survivants, dont la nationalité ne nous a pas été communiquée, qui sont arrivés ce matin en Suisse. Le docteur Walberck, docteur en virologie et responsable de recherche au laboratoire P4 de Biomedicare, indique dans une interview à paraître que ce regroupement a pour but de les aider à comprendre les origines du virus et à déterminer les moyens à mettre en place pour le combattre. »

J'éteins mon portable et le son des infos qui résonnait dans l'oreillette de mon écouteur depuis une bonne heure se coupe lui aussi.

Je regarde ma montre : 1 h 30.

Il faut que je bouge.

D'ailleurs il serait temps, parce que je commence à en avoir ma claque de poireauter sur ce mur en écoutant des mauvaises nouvelles.

Je sors une pince de la poche de mon blouson et sectionne les fils barbelés du mur d'enceinte sur lequel je suis juché. C'est une pince de concours. Les fils cèdent aussi facilement que des brins de laine.

Je m'apprête à sauter dans le parc quand les lumières s'allument et des chiens se mettent à aboyer.

– Et merde !

Je pensais qu'en lui donnant rendez-vous aussi tard la gamine réussirait sans problème à se glisser hors de son établissement mais je me suis trompé ; cette cruche a dû déclencher une alarme et c'est mort pour ce soir.

Arrivé hier en Suisse, j'ai vite compris qu'il était impossible d'entrer dans ce pensionnat d'élite quand tu ne faisais pas partie des élèves ou du personnel : badges, gardiens, uniformes, grilles, barbelés, caméras... cet endroit tient plus de la prison de haute sécurité que d'une école et c'est ce qui m'a donné l'idée d'en chercher les dealers. Je me doutais qu'avec une telle concentration de gosses de riches il y avait obligatoirement un fournisseur dans le coin !

Le dossier que m'avait fourni l'albinos précisait que la nana était une camée. Même si la drogue n'a jamais été mon truc – côté sensations fortes ma bête noire me suffit amplement –, j'ai l'habitude des toxicos et je savais que le meilleur moyen de l'attirer était de lui proposer une dégustation gratuite.

Il ne m'a pas fallu longtemps pour trouver le caïd local et lui faire avouer qu'il utilisait les services d'un des jardiniers pour faire passer sa marchandise. Au début le type n'était pas franchement coopératif, mais quand il a compris que je ne voulais pas lui piquer son business et qu'il y avait moyen pour lui de se faire de l'argent facile je suis devenu son meilleur ami.

L'après-midi même, le jardinier passait mon message à Yolande et elle acceptait un rendez-vous dans le parc, juste à côté de l'étang, à partir de deux heures du mat'… un plan génial si cette idiote n'avait pas déclenché l'alarme !

Inutile de rester.

Je suis sur le point de sauter du mur pour retrouver ma bécane, quand ma bête noire se met à siffler.

Des images s'imposent à mon esprit sans que je puisse les en empêcher.

Du sang ; je vois du sang et un sourire haineux ; deux lèvres fines sur lesquelles se promène une langue adipeuse.

Une vision de cauchemar qui ne vient pas de moi, ni de ma bête noire qui se recroqueville en gémissant.

— *Je sais que tu me vois ! Qui es-tu ?!*

Je sursaute. Les mots ont résonné dans ma tête.

— *Regarde, Génophore, regarde et admire ce que les Enfants d'Enoch font de leurs ennemis.*

Quelle que soit cette Chose elle ne s'adresse pas à moi… et les images qu'elle me transmet me prouvent que Yolande n'y est pour rien.

La scène, atroce, me prend aux tripes.

Fermer les yeux ne sert à rien, mon esprit est un écran blanc où les images se fracassent dans une gerbe de sang, d'os et de viscères.

À califourchon sur l'enceinte, leur violence me prend par surprise et m'oblige à me coller au mur de toutes mes forces pour ne pas tomber.

Une pierre plus pointue que les autres s'enfonce dans ma cuisse gauche.

La douleur m'aide à reprendre le dessus. Cette souffrance est mon alliée, alors je tends la main et la referme de toutes mes forces autour d'un des fils barbelés.

Deux étoiles de métal s'enfoncent dans ma paume ; leurs pointes acérées percent ma peau et progressent dans ma chair millimètre par millimètre.

Douleur.

Se concentrer sur cette sensation, oublier le regard fou de Yolande et le bruit que font ses os en se brisant.

Se concentrer sur celle à qui ces images sont destinées.

Me cacher de l'esprit aux yeux rouges, me faire tout petit et chercher.

Chercher celle qui me ressemble.

Car Jarod et Don Camponi se sont trompés : c'est elle la Génophore, elle que je dois ramener avec moi… pas Yolande !

La vision s'arrête d'un seul coup, aussi vite qu'elle a commencé, mais mon dragon et moi sommes prêts.

Nous nous élançons vers l'esprit de notre sœur de sang.

Elle n'est pas loin, nous la sentons.

C'est une fille terrorisée figée au bord d'un étang à moins de cent mètres du mur où nous sommes juchés.

La liaison est faible et nous n'arrivons à la conserver qu'un minuscule instant, mais c'est suffisant pour trouver l'information qu'il nous faut : Kassandre, notre sœur de sang s'appelle Kassandre Báthory de Kapolna.

Quand je rouvre les yeux, le parc est illuminé comme un sapin de Noël et les aboiements se rapprochent ; il ne faut pas que je reste ici.

Je desserre le poing et retire de ma paume les pointes acérées des barbillons de métal. Cette souffrance est la bienvenue, elle me tire de ma torpeur, oblige mon cœur à battre plus vite et je sens des endorphines se répandre à toute allure dans mes veines.

J'aperçois la lumière d'une torche à quelques mètres.

Partir, il faut partir.

Je saute et retombe lourdement sur le sol d'asphalte.

De l'autre côté du mur des hommes crient :

– Ici ! J'ai vu une ombre sur le mur ! Prévenez les gars de l'entrée !

Caché par l'enceinte j'enfourche la Kawa 500 noire que j'ai louée à Genève et enfile mon casque intégral.

Juste à temps.

Une tête apparaît tout en haut du mur mais il est trop tard pour eux.

Le moteur de la moto se réveille en rugissant et je m'enfonce dans l'obscurité de la montagne suisse tout en me répétant le nom de celle que je dois revenir chercher : Kassandre, Kassandre Báthory de Kapolna.

Kassandre

9 mai
Suisse, Saint-Gall
Institut auf dem Zugerberg

– Vous pouvez vous asseoir !

Dans un même mouvement de robots nous posons tous nos culs sur nos chaises et sortons nos cahiers de français.

Plus de dix heures se sont écoulées depuis la disparition de Yo ; les recherches lancées par l'école n'ont rien donné et ces crétins ont conclu à une fugue. Soi-disant qu'un mec serait passé la prendre en moto.

Ils peuvent se rassurer comme ils veulent, mais moi je sais que c'est faux, je sais que Yo ne rentrera jamais car je l'ai vue mourir.

La Chose m'a prise en traître et je n'ai pas réussi à bloquer mon esprit assez vite. Je ne voulais pas mais j'ai tout vu : la peur sur le visage de Yo, son sang qui s'écoulait et son incompréhension, immense, quand la créature a plongé ses mains dans son dos, saisi ses côtes avant de les écarter pour attraper ses poumons et les brandir au-dessus de sa tête comme deux ailes translucides et palpitantes.

J'ai entendu ses os craquer et son cœur battre avec fureur ; elle était écartelée mais VIVANTE et c'est sa douleur qui a fini par me faire perdre connaissance.

Quand les aboiements des chiens m'ont réveillée il s'était écoulé moins de deux minutes mais je ne ressentais plus rien alors j'ai fait ce que je sais faire de mieux : j'ai utilisé mon pouvoir pour éviter les gardes et rentrer. Coup de chance, seule la disparition de Yo avait été relevée et personne n'est venu me questionner. Depuis, je vis dans l'angoisse que cette Chose vienne me chercher à mon tour comme elle me l'a promis et qu'elle me fasse subir le même traitement.

– Mademoiselle Báthory de Kapolna, pouvez-vous nous éclairer sur la signification de l'extrait sur lequel vos camarades et moi-même travaillons depuis le début du cours ?

Merde ! À force de ressasser je n'ai pas vu la prof s'approcher et je vais en payer le prix.

Je coupe le son du morceau de Metallica qui inonde mon oreille gauche avant que la prof ne s'aperçoive que seule la droite est consacrée à son cours.

À mon humble avis, vu l'intérêt des platitudes qu'elle nous balance, une oreille c'est déjà plus qu'il n'en faut, mais comme la dernière fois que je me suis fait choper à écouter de la musique la prof m'a confisqué mon iPod, je me méfie ! J'ai trop besoin de ma musique ; c'est la seule chose qui me permette de m'évader de ce cauchemar.

Avant qu'elle me le demande, je vire mes Dr. Martens de la chaise d'à côté, dégage mon dos du mur et me prépare à encaisser la vanne à deux balles qui ne va pas tarder à suivre.

– L'enfer, mademoiselle Báthory de Kapolna, ça devrait pourtant vous parler, l'enfer… pour une fois que votre tee-shirt est en parfaite harmonie avec le thème du cours, vous pourriez même nous faire l'honneur de participer !

L'index verni de rouge de la prof est tendu vers le tee-shirt Motörhead que j'ai enfilé ce matin et qui apparaît en transparence sous la chemise blanche de mon uniforme.

Un sourire pincé accroché au coin des lèvres, la vieille peau laisse s'égrener les secondes avant de balancer la fin de sa réplique :

– Alors ? J'attends, Kassandre… Pas de remarque intelligente, ni une réflexion profonde à partager avec le groupe ? Mais non, bien sûr, suis-je bête, avec son merveilleux QI Kassandre est bien au-dessus de tout cela, n'est-ce pas jeune fille ?

Depuis qu'un élève a piraté les résultats de mes tests de QI pour les balancer dans toute la pension, c'est au moins la dixième fois que cette garce me ressort le même refrain. Je ne sais pas de combien est le sien, mais je vais finir par penser qu'elle est jalouse.

L'assemblée de bouffons en uniforme bien repassé qui compose ma classe se marre sans retenue pendant que la prof retourne vers son bureau sans attendre que je lui réponde.

En même temps, vu que je ne lui réponds jamais, ça prouve que cette connasse a au moins retenu quelque chose me concernant… Enfin, ça et mon score de 160 à leur test à la con !

– Je disais donc : « Une chute sans fin dans une nuit sans fond, Voilà l'enfer. » C'est ainsi que, selon Victor Hugo, Dante nous décrit sa vision des neuf niveaux infernaux.

L'alerte est passée.

Je reprends ma position préférée : dos bien calé contre le mur, pieds sur la chaise d'à côté, coude gauche sur ma table et main droite dans la poche de ma veste pour régler le son de mon iPod.

Le seul truc de bien que j'ai pu trouver dans leur règlement pourri (douze pages !!!) c'est cette obligation pour les « jeunes filles » d'avoir les « cheveux soigneusement coiffés à l'aide de barrettes, de pinces ou d'un BANDEAU » ; autant leur uniforme bleu marine à écusson me fait gerber, autant l'idée du bandeau, pour planquer les écouteurs de mon baladeur, c'est de la balle… Encore heureux que le choix des souliers soit laissé libre, car s'il avait fallu que j'échange mes Doc contre des escarpins je crois que je me serais pendue.

J'appuie sur le bouton et laisse la musique des Four Horsemen m'envahir en soupirant ; depuis que je suis là j'ai dû écouter et réécouter mille fois *Nothing Else Matters* mais je ne m'en lasse toujours pas, car ses paroles me font penser à Mina.

Mais à cause de la prof j'ai raté mon passage préféré ! Ça, c'est vraiment l'enfer !

L'enfer… d'ailleurs elle en sait quoi de l'enfer cette pétasse manucurée ? Peut-être que pour une fois j'aurais dû lui répondre et lui raconter comment Yo était morte, juste pour voir sa tête se décomposer.

Je soupire, encore un rêve impossible : si je fais ça, les questions vont pleuvoir et c'est justement ce que je veux éviter alors j'oublie et à la place je me laisse porter par la ballade de James Hetfield.

Au bout de deux minutes trente-quatre, le morceau s'arrête et la voix puissante du guitariste est remplacée par celle, nasillarde, de mademoiselle Viercq qui vient d'éteindre la lumière pour commencer sa projection de « supports pédagogiques ».

– La vision infernale du grand poète italien a été magnifiquement illustrée par de nombreux artistes. Ainsi, comme vous pouvez le voir ici sur cette gravure de Gustave Doré...

Prise par surprise, je hoquette de dégoût.

Partout, des corps nus de suppliants entrelacés étalent leurs ombres grises sur l'écran blanc puis sont remplacés par les détails des œuvres apocalyptiques de Jérôme Bosch : des chaudrons bouillants, des démons cornus, des corps empalés se succèdent en grimaçant dans un ballet stroboscopique.

Un goût acide de bile envahit ma bouche.

Aux images colorées projetées au tableau se superposent dans mon esprit celles du corps supplicié de Yo et je manque de vomir.

– « *Per me si va nella città dolente,*
per me si va ne l'etterno dolore,
per me si va tra la perduta gente.
Giustizia mosse il mio alto fattore :

fecemi la divina podestate,
la somma sapïenza e l primo amore.
Dinanzi a me non fuor cose create
se non etterne, e io etterno duro.
Lasciate ogne speranza, voi ch'intrate. »

… Ces vers sont ceux prononcés par la porte de l'enfer en direction de Dante juste avant que celui-ci ne la franchisse, déclame la prof en affichant au mur la magnifique porte sculptée par Rodin pour illustrer ses propos.

Je me concentre sur les doigts de pied recroquevillés du Penseur pour éviter de m'attarder sur les corps des damnés, mais mon regard glisse sur leurs visages désespérés.

– Kassandre ! Est-ce la mise en garde de Dante qui vous pousse ainsi à grimacer ou juste la perspective de devoir patienter encore quelques minutes avant de pouvoir aller déjeuner ?

Décidément, c'est pas mon jour !

Je ne devrais pas mais, pour une fois, je décide de lui répondre.

– Une invitation, je la reprends d'une voix forte en désignant du menton l'œuvre de Rodin. C'est une *invitation* que prononce la porte, pas une mise en garde !

C'est la première fois que je prononce une phrase aussi longue sans y être obligée et mademoiselle Viercq ne doit pas s'y attendre car elle a deux secondes d'arrêt avant de me répondre.

– Parce que vous, mademoiselle Báthory de Kapolna, vous comprenez ces vers, peut-être ?

Je sais que je dois fermer ma gueule mais c'est plus fort que moi, un péché d'orgueil probablement provoqué par un gros ras-le-bol.

Tout à coup j'ai envie de lui prouver, de leur prouver, que je suis bien plus que « la fille zarbie au look relou du fond de la classe dont la famille a suffisamment de pognon et d'influence pour lui obtenir une chambre perso en cours d'année ».

Je sais que je dois me taire, que ce que je vais faire est stupide et risque de soulever la brume d'indifférence dédaigneuse qui me permet d'échapper à la curiosité des autres depuis mon arrivée.

Je le sais mais j'en ai marre alors je me lève, je chope mon sac et, sans quitter la prof des yeux je me dirige vers la porte en traduisant de mémoire l'extrait que cette dinde vient de nous citer sans en comprendre la réelle portée :

– « Par moi, vous pénétrez dans la cité des peines ;
par moi, vous pénétrez dans la douleur sans fin ;
par moi, vous pénétrez parmis la gent perdue.
La Justice guidait la main de mon auteur ;
le pouvoir souverain m'a fait venir au monde,
la suprême sagesse et le premier amour.
Nul autre objet créé n'existait avant moi,
à part les éternels ; et je suis éternelle.
Vous, qui devez entrer, abandonnez l'espoir. »

Je claque la porte sur le dernier mot pour souligner ma tirade et balance mon sac dans le couloir.

Enfin seule !

Il reste à peine cinq minutes avant la sonnerie, mais je compte bien les utiliser pour me faufiler dans le parc et réessayer d'appeler Mina.

Je m'élance, prête à courir un sprint, quand une voix me stoppe net.

— Mademoiselle Báthory de Kapolna, encore vous ! Venez donc m'expliquer ce que vous faites hors de votre classe à cette heure-ci, je suis certain que je vais adorer cette histoire, me lance une voix à l'accent suisse prononcé.

Le directeur ! Merde !

Autant rester digne.

Je me retourne, redresse la tête et balance les épaules en arrière. L'idée, c'était de le dominer, mais le principal effet de mon redressement est de plaquer encore plus le chemisier blanc de mon uniforme sur mon tee-shirt Motörhead.

Très mauvaise idée.

— Qu'est-ce que c'est encore que ça, mademoiselle ? Comme s'il ne suffisait pas que nous devions supporter la vue de vos immondes croquenots, voilà que vous nous infligez en plus vos vêtements sataniques ! Retirez-moi immédiatement ceci ! éructe le petit homme en pointant un doigt rageur vers ma poitrine.

Ce n'est pas la première fois que lui et moi avons ce genre de conversation et ça me fatigue d'avance ; dix fois j'ai essayé de lui expliquer que « non, les métalleux ne sont pas des satanistes » et que « non, je ne voue pas un culte à Belzébuth », mais rien à faire ; ce type est le prototype du psychorigide austère né avec la cravate greffée autour du cou et les pompes à glands vissées aux pieds. Rien ne peut le faire changer d'un iota sur son a priori à la con : pour lui je suis un suppôt de Satan et je lis dans ses yeux que j'ai de la chance que les bûchers soient interdits !

Redressant ses petites lunettes rondes de nazi d'un geste rageur de l'index, il attend que je réplique pour en ajouter une couche quand, juste au moment où la sonnerie retentit, je décide que j'en ai marre de faire semblant.

Après tout, s'il tient tant que ça à ce que je lui donne mon tee-shirt, pas de problème !

Lentement, je laisse glisser ma veste au sol, enlève un à un les boutons de mon chemisier, avant de le faire tournoyer et de le jeter dans sa direction.

Le mec doit trop lire la Bible. Pour lui je représente Sodome et il vient de se transformer en statue de sel.

Autant en profiter.

Sans le quitter des yeux, je passe mon tee-shirt collector par-dessus ma tête sans tenir compte du fait que je ne mets pas de soutif et lui colle le nez entre les cornes mythiques de la tournée *Inferno* de 2005.

Sans savoir pourquoi, je me mets même à psalmodier le *Satanic Mantra* de Cradle of Filth.

– Il a l'air pétrifié, incapable de bouger, et roule des yeux fous dans ma direction.

Je répète, encore et encore, les mêmes paroles.

J'entends son cœur déraper, se coller au rythme de ma voix, onduler au creux de ma paume comme une balle d'enfant.

Je ne sais pas pourquoi, mais je sens qu'en cet instant je pourrais lui demander n'importe quoi et ce pouvoir me grise.

La sonnerie de la récré brise le charme d'un seul coup.

Le principal secoue la tête, il a l'air sonné.

Il a le regard fou, titube comme un homme ivre et c'est comme ça que les élèves sortant des classes nous découvrent : moi à moitié à poil psalmodiant mon mantra face au dirlo serrant convulsivement dans ses mains la tête grimaçante du masque de Motörhead.

Il lui faut près de trente secondes pour comprendre que nous ne sommes plus seuls, mais dès que l'info perce la brume de son cerveau il réagit enfin.

D'un mouvement tremblant il jette mon tee-shirt au sol comme si celui-ci le brûlait, ouvre la bouche pour parler mais la referme aussitôt et s'éloigne à reculons sans me quitter des yeux.

Je vais dérouiller mais j'en ai rien à battre, car je sais enfin ce que je dois faire : arrêter d'avoir peur et trouver un moyen de me tirer d'ici.

Georges

9 mai
Suisse, Saint-Gall

Il est 21 heures. Adossé à ma moto au bord de la petite route de montagne où j'attends la bagnole qui doit venir chercher la gamine, je commence à avoir un peu froid.

Une heure que je poireaute ici avec rien d'autre à penser que les dernières infos qui tournent en boucle sur toutes les chaînes et qui n'ont rien de rassurant. Entre cette épidémie qui se répand dans les pays du Sud et les 662 collégiens marseillais tous retrouvés crevés hier sans qu'on sache pourquoi, je commence à penser que si ça continue comme ça il y aura bientôt plus de morts que de vivants sur cette fichue planète.

Et puis il y a ce nom, Karl Báthory de Kapolna, qui revient à chaque fois aux infos, celui du type chargé de sauver le monde en trouvant fissa un remède au supervirus ; le même nom que celui de la fille que je dois récupérer, un nom suffisamment rare pour que je ne puisse pas, sérieusement, croire à un hasard.

Trop de questions sans réponses et rien à faire pour penser à autre chose.

Je secoue la tête, fais quelques pas et regarde autour de moi en soupirant.

Si seulement je n'étais pas dans une forêt !

Je déteste les forêts.

Surtout celles de résineux.

Les sapins c'est de la merde, ça étouffe tout. Les bruits, le ciel, même l'air. Je suis un enfant des rues. Le seul endroit où je me sente en sécurité c'est ma cité. J'en connais les codes. Ici, au milieu de toute cette nature, je suis à découvert et je déteste ça.

Si je suis là c'est que Jarod a appris que la fille que j'avais repérée hier, Kassandre, venait de se faire virer et on a décidé d'en profiter pour la récupérer en douceur.

Un super plan si ça ne faisait pas plus d'une heure que je poireautais au milieu de nulle part pour capter la bagnole qui doit venir la chercher.

La vibration de mon mobile me chatouille la couille gauche ; probablement un des deux Ritals que m'a collés mon père pour m'aider… ou pour me surveiller, j'avoue que j'hésite encore sur la fonction exacte de ces deux types.

L'écran de mon mobile m'indique que je viens de recevoir un message de Fosco :

La voiture vient de quitter le péage

Pas trop tôt.

Comme prévu, j'enfile mon casque, bascule ma moto au milieu de la route, me couche à côté et attends.

La suite est un jeu d'enfant : moins de deux minutes plus tard une Rolls freine, s'arrête et j'entends une portière s'ouvrir. Le chauffeur se précipite, se penche vers moi pour vérifier si je suis en vie.

Je porte un casque intégral, mais celui-ci ne m'empêche pas de voir la surprise du type quand ma bête noire s'infiltre dans son esprit et fouille dans ses peurs.

La douleur que je lui inflige est trop forte. Il tombe dans les vapes.

Je retire mon casque et me penche sur le visage aux traits doux qui repose sur le bitume. Don Camponi m'a demandé d'effacer toutes les traces de notre passage, et en temps normal ça ne m'aurait pas gêné, mais ce que je lis dans la tête de cet homme me retient de le supprimer... C'est la première fois que j'entre dans la tête de quelqu'un qui n'a pas peur pour lui-même mais uniquement pour ceux qu'il aime : deux femmes... dont l'une d'elles est justement celle que je suis venu chercher ce soir.

Pourquoi un simple chauffeur se soucierait autant de la fille de son patron ? L'info est suffisamment surprenante pour que je décide de le cacher dans le fossé au lieu de l'éliminer.

De toute manière je sais que lorsqu'il se réveillera il ne se souviendra de rien.

Son uniforme est trop petit pour moi, alors je me contente de lui piquer sa casquette et retourne vers la route.

Il était temps, les deux abrutis que m'a collés Don Camponi arrivent dans un crissement de pneus et manquent d'emboutir la Rolls.

– Bordel ! Faites gaffe, j'en ai besoin de cette caisse !

Battista et Fosco rigolent ; ils sont tellement bêtes qu'à leur côté j'ai l'impression d'être un prix Nobel. En trois jours avec eux j'ai entendu plus de blagues racistes et sexistes qu'en six mois de taule et je ne supporte plus leur duo d'humoristes... Si je n'avais pas besoin de ces types pour assurer mes arrières ça ferait longtemps que je m'en serais débarrassé mais, dans l'urgence, je dois faire avec.

— Et le chauffeur ? Tu l'as déjà buté ? me demande Fosco en se passant le pouce en travers de la gorge.

Je me contente de hocher la tête en lui tendant mon casque et vais me diriger vers la bagnole quand il me retient.

— Et le corps, tu l'as mis où ?

Malheureusement, en plus d'être con, Fosco est têtu.

Je dégage sèchement mon bras et lâche :

— Qu'est-ce que ça peut te faire ? Tu baises les cadavres ?

Pas très classe comme réplique, mais je sais que c'est le seul langage qu'ils comprennent.

Pour le coup, mon comique ne rigole plus et Battista, sentant l'embrouille, sort à son tour de leur voiture.

Je devrais laisser faire, mais je ne veux pas qu'ils découvrent le vieux endormi dans le fossé. Je ne veux pas, parce que je sais très bien que si c'est le cas ils vont le tuer.

— Quoi ? Qu'est-ce qui vous prend tout à coup ? Vous ne me faites pas confiance, vous voulez qu'on appelle mon père pour vérifier qui dirige la mission ?

Je brandis mon téléphone. Ils hésitent.

J'insiste.

– Non parce que, à cette heure-là il doit dormir mais il ne devrait pas trop vous en vouloir… enfin j'espère.

Ces deux idiots ont beau faire la paire, ils sont loin d'en posséder une seule à eux deux. Battista est le premier à se dégonfler.

– C'est bon Fosco, laisse tomber, si Don Camponi lui fait confiance… ben nous, on lui fait confiance aussi, hein ?

Sans attendre la réponse de son pote, Battista remonte en bagnole et Fosco se décide enfin à enfiler mon casque et à enfourcher ma moto.

Une minute après, je suis seul au volant de la Rolls et je démarre pour aller prendre livraison de mon paquet.

Kassandre

9 mai
Suisse, Saint-Gall
Institut auf dem Zugerberg

Assise sur ma malle j'attends Gustav, le chauffeur de Père, et même si ça fait presque quarante minutes que je poireaute sur le perron de pierre blanche de l'école, je suis vraiment soulagée de me tirer d'ici.

Ça n'a pas traîné ; les Suisses ont peut-être une réputation de lenteur mais mon petit numéro de ce matin a été efficace. Le temps que le dirlo sorte de sa transe mystique et que la prof me jette une veste sur les épaules, la moitié de la pension avait eu le temps de profiter du spectacle et, malgré l'interdiction des portables, mes nibards tatoués passaient en boucle sur le Net. Même s'ils sont plutôt du genre œufs au plat on en était déjà à 1 852 vues et il avait fallu moins d'une demi-heure aux parents d'élèves pour réagir.

Je ne saurai jamais si c'était la tête de mort du sein droit ou le « *Kill them all* » du gauche qui avait eu le plus de succès mais cette fois-ci, malgré ses relations, je doute que Père réussisse à trouver un établissement qui m'accepte à deux mois des vacances !

Un blanc dans mes oreilles.

J'ai mis mon iPod en aléatoire, j'adore avoir la surprise d'un morceau inattendu, mais quand la musique redémarre je grimace et coupe aussitôt le son.

J'ai reconnu *Schizo* de Venom dès les premières notes... une chanson qui parle d'un assassin qui nous guette dans la nuit, qui rampe à la recherche de ses victimes.

J'adore la voix de Cronos, mais j'ai eu ma dose de meurtrier psychopathe ces derniers jours et je préfère passer mon tour.

Sans ma musique, la sensation de solitude qui m'imprègne depuis que le dirlo m'a plantée sur le perron se fait encore plus forte.

Personne n'est venu me dire au revoir mais je sens les regards des profs et des élèves posés sur ma nuque.

Oui, je sais, c'est impossible de « sentir » un regard, et pourtant je SAIS précisément à chaque fois qu'un de ces crétins me regarde.

Depuis ce qui s'est passé l'autre soir, c'est comme si mon pouvoir avait grandi ; je n'ai même plus besoin de me concentrer : il suffit que l'un d'eux pense à moi pour que je sache précisément de quelle fenêtre il m'observe.

Sans me retourner je leur adresse un majeur bien dressé.

Au dix-huitième je commence à me lasser mais, heureusement, j'entends enfin le ronronnement feutré de la Rolls et le crissement léger de ses roues sur les graviers de l'allée.

Il était temps, le jour baisse et les ombres noires des sapins commencent à s'étendre sur le parc en le plongeant dans la pénombre. L'odeur forte des sous-bois envahit tout et l'humidité morbide transperce la mince veste de jean que j'ai enfilée par-dessus mon débardeur noir et mes leggings en cuir.

J'ai froid.

C'est l'instant de la journée que je déteste le plus, « l'heure du loup » comme l'appelle Mina, ce moment où la tristesse s'abat sur toi comme une chape de plomb fondu, où la lumière s'échappe du monde pour aller se faire voir ailleurs et te laisse seul avec toi-même face à tes angoisses. J'ai toujours détesté ce moment mais maintenant, en plus, j'en ai peur.

J'érafle une dernière fois ma malle en cuir à l'aide de mon bracelet clouté et saute sur mes pieds pour aller accueillir Gustav.

Même si rien au monde ne m'obligerait à l'avouer, le chauffeur de Père est, avec la mère de Mina, le seul adulte dont l'avis a de l'importance pour moi.

Autant je n'ai rien à foutre de l'engueulade glacée de Père qui m'attend en arrivant à la maison, autant le regard peiné que Gustav ne va pas manquer de me jeter dans quelques secondes me désole d'avance.

Gustav je le connais depuis ma naissance ; non seulement il est au service de Père depuis des années, mais son père avant lui et même son grand-père ont eux aussi travaillé pour notre famille. Plus fidèle, tu meurs et pourtant, sous ses allures flegmatiques de majordome anglais n'obéissant qu'à son maître, Gustav a toujours été là pour moi. Il ne dit rien, ne me donne jamais de conseils, mais il sait écouter et être avec lui m'a toujours apaisée.

Quand je sens que je vais exploser et me mettre à déconner grave c'est toujours dans son garage que je termine. Je suis certaine de le trouver là, les manches de sa chemise blanche roulées sur ses avant-bras, au milieu des carrosseries rutilantes, en train de caresser délicatement les chromes avec une peau de chamois, de polir une aile ou de lustrer un capot.

Dans ces moments-là, je déboule dans son domaine comme une furie, déversant ma rage en cognant dans les murs, balançant ma haine contre mes parents, ma famille, la société dans un flot de paroles sans queue ni tête.

Gustav ne dit jamais rien mais, malgré moi, son calme finit toujours par m'atteindre, me bercer, m'envelopper… et je m'arrête toute seule.

Souvent, ensuite, Gustav me fait signe de le rejoindre, me tend une clé et me montre comment démonter un carbu, changer des plaquettes de frein, remonter une tête de Delco ; pendant les quelques heures où j'ai les mains dans le cambouis une paix étrange m'envahit, comme si démonter et remonter ces mille pièces, voir un moteur poussif redevenir fougueux avaient le pouvoir de m'expliquer les mystères de ma vie de travers.

Ce soir c'est ce dont j'ai le plus besoin.

J'aimerais pouvoir me mettre à nu comme ces belles mécaniques, graisser chacune de mes pièces à vif et les remonter une à une jusqu'à ce que mon âme cesse de grincer à chaque virage... même si je sais que ça ne ramènera pas Yo.

La Rolls-Royce Phantom noire s'arrête à ma hauteur dans un glissement soyeux que seul permet un véhicule de ce prix ; c'est la voiture préférée de Père et ça ne me surprend pas : silencieuse comme une tombe, c'est la version moderne du vaisseau fantôme, une version froide et luxueuse qui en met plein la vue aux *autres*, comme Père appelle ceux qui ne sont pas de notre monde.

Il fait de plus en plus sombre ; sans attendre que Gustav coupe le moteur, je tire la portière du conducteur et recule d'un pas en m'inclinant bien bas.

– Si Monsieur veut bien se donner la peine...

C'est un de nos rituels et, même si Gustav hausse systématiquement les sourcils en me répétant qu'« une demoiselle ne fait pas ce genre de choses », l'étincelle brillant au fond de ses prunelles bleues dément généralement ses propos.

Sauf que cette fois-ci, personne ne me répond... car l'homme assis derrière le volant n'est pas Gustav !

C'est une première.

– T'es qui toi ?

Flegmatique, le mec coupe le moteur et s'extrait de la Rolls.

– Je suis le nouveau chauffeur, dit-il en ôtant sa casquette et en s'inclinant brièvement vers moi.

Déplié ce type est immense, pas loin des deux mètres, et ses mains sont si épaisses qu'entre ses doigts sa casquette semble plus fragile qu'un accessoire de crépon.

Il ne porte pas d'uniforme mais un costume noir très bien coupé et ses yeux vifs, sans arrêt en mouvement, sentent plus la formation de garde du corps que celle du chauffeur lambda.

Je ricane :

– Si toi t'es chauffeur, moi je suis cheftaine scoute !

Le type respire un grand coup sans me répondre avant de saisir ma malle d'une seule main et de l'envoyer dans le coffre avec autant d'aisance que s'il s'était agi d'un sac à dos.

Refermant avec douceur le capot, il ouvre alors la portière arrière en me faisant signe de m'installer.

– Je félicite *Mademoiselle* pour cette promotion et, si *Mademoiselle* le désire, je serai ravi qu'elle me fasse part durant le trajet des détails les plus passionnants de sa vie… mais pour le moment il s'agirait de monter fissa à l'arrière du véhicule, de poser ses fesses sur le siège en silence et de boucler sa ceinture parce que nous sommes déjà en retard ! À moins que *Mademoiselle* ait besoin que je l'aide à s'installer ?

Le ton est ironique mais la menace est claire ; je ne sais pas ce que Père a derrière la tête, mais pour qu'il me colle ce guignol à la place de Gustav c'est que j'ai vraiment dû le mettre en rogne.

Pendant une seconde j'envisage de le planter là et de me barrer. Juste pour faire chier.

Devant moi, le parc s'assombrit de minute en minute et le froid s'abat sur la montagne suisse. Je sais que la

Chose rôde dans les bois et m'attend… et je me vois mal aller supplier le dirlo de me garder !

Je ne peux ni reculer, ni m'enfuir. Ce qui m'attend dans la montagne est trop effrayant pour que je prenne ce risque.

Je n'ai pas le choix ; il sera toujours temps de me tirer une fois que j'aurai retrouvé Mina.

Je lance un dernier double fuck au pensionnat et m'engouffre dans la Rolls.

– Et il est où, Gustav ?

Pas de réponse.

Nous n'avons pas franchi les portes de la pension que je déteste déjà l'armoire à glace qui me sert de chauffeur. Gustav n'était peut-être pas un grand bavard, mais au moins il répondait à mes questions quand je lui en posais !

– Hé, le grand con, je te cause ! T'es sourd ou tu le fais exprès ?

Pour toute réponse j'entends la fermeture centralisée se déclencher et vois la paroi de séparation se lever. Ce truc matelassé est tellement épais que je vais me retrouver dans un bocal capitonné pendant tout le trajet si je n'agis pas rapidement.

Si monsieur Muscles espère me coincer, il ne sait pas à qui il a affaire.

Je plonge en avant pour prendre la vitre de vitesse et me retrouve sur le siège passager sans qu'il ait le temps de réagir.

Bon, j'avoue, j'ai pas super bien calculé mon coup : j'ai la tronche au niveau du sol et le pied droit coincé au plafond. Comme la vitre continue son ascension ce n'est pas super agréable ; mais au moins je suis devant !

– Dis donc, machin, tu ne vois pas que je suis coincée ?

Le grand con hausse les épaules.

– Si tu préfères voyager dans cette position ça te regarde. Mais je me permets de préciser que nous avons dix heures de trajet et je crains que tu finisses par regretter de ne pas être restée à l'arrière comme je te l'avais suggéré.

Le tutoiement, inattendu, m'oblige à prendre conscience de deux ou trois détails que j'avais négligés jusqu'à présent : un, jamais mon père n'aurait laissé quelqu'un d'autre que Gustav conduire sa précieuse Rolls ; deux, la maison n'est qu'à trois heures de route et, trois... je n'entends pas son cœur !

Ce type est à moins de quelques centimètres de moi, je peux sentir son odeur, je l'entends respirer mais je ne vois pas son cœur... enfin, disons que je vois bien quelque chose, mais au lieu d'être une pulsation rouge c'est une masse noire qui cherche à m'aspirer dès que je tente de l'approcher.

– Alors ? Tu décides quoi Princesse ? Tu restes dix heures pendue comme un saucisson en train de sécher ou je baisse la paroi pour que tu retournes sagement poser ton petit cul à l'arrière ?

Il a tourné la tête vers moi et, si son cœur noir me terrifie, ses yeux, eux, ne m'inspirent aucune frayeur.

En les voyant j'ai l'impression de plonger dans mes rêves : non seulement ils sont du même bleu saphir que les miens, mais en plus ils possèdent une tache noire en forme de serpent au-dessus de leur pupille gauche.

Ces yeux, je les connais, je les vois chaque nuit depuis ma naissance. À chaque fois ils sont accompagnés de glace, de neige et de paysages du Grand Nord. Des yeux qui me regardent tandis qu'un autre moi-même saute par-dessus des taureaux furieux et danse pour éviter leurs cornes dans un air saturé de sable et de chaleur.

Je ne connais pas ce type mais je connais ses yeux. Je tends la main pour caresser son visage. Sous le contact de mes doigts, il sursaute et la voiture fait une embardée sur le bas-côté.

Ma tête rebondit contre la boîte à gants et les images de mes rêves disparaissent.

– Hé ! Fais gaffe ! je râle en me frottant le front. Je présume que t'as une bonne raison pour jouer au chauffeur, mais tant qu'à faire essaye de le faire correctement. Même si mon père est furax, ça m'étonnerait qu'il apprécie que tu me ramènes toute cabossée… et je te parle même pas de sa tronche si tu érafles sa caisse !

D'habitude, prononcer le nom de Père devant un employé est suffisant pour le faire flipper ; normalement, là, le mec devrait s'excuser mais lui, il se marre.

– Quoi ? J'ai dit quelque chose de drôle ? Et puis descends cette putain de vitre s'te plaît parce que ça me fait un mal de chien !

J'ai beau me tortiller, le bouton permettant de baisser la vitre est trop loin pour que je l'atteigne et l'autre crétin ne se décide pas à appuyer dessus.

– Allez bordel ! sois sympa !

– Tu promets d'être sage et de ne rien faire d'idiot ? demande-t-il en avançant la main vers l'interrupteur.

Je hoche la tête en grognant une vague réponse.

Son doigt s'éloigne du tableau de bord.

– Pardon ? Je n'ai pas bien entendu...

– OK ! OK ! « Je promets d'être sage et de ne rien tenter d'idiot. » Tu veux que je crache aussi ?

Aussitôt la vitre se baisse et je peux enfin m'asseoir dans le bon sens. Je masse ma cheville douloureuse en râlant mais il me coupe sèchement :

– Si tu ne veux pas aller rejoindre ta malle dans le coffre, je te conseille d'arrêter de couiner et de me laisser me concentrer.

Nous sommes à l'entrée de l'autoroute, une triple voie d'asphalte totalement déserte nous tend les bras et j'ai trop de questions à lui poser pour envisager de me taire.

– Ben voyons... c'est sûr que vu le monde et l'état de la route y a vraiment besoin d'être en alerte ! Rassure-moi, t'as bien ton permis quand même ?

J'ironise à peine, car sous les lampadaires du péage je viens de remarquer que, malgré sa stature, ce type n'a pas l'air beaucoup plus âgé que moi.

– Arrête ta comédie, Kassandre ! Ce n'est pas la route que je surveille, c'est ce qu'il y a *autour* et qui nous suit depuis notre départ.

Je vais lui demander de quoi il parle quand il anticipe ma question.

– Inutile de nier. La Chose, j'étais là quand tu l'as sentie l'autre nuit ; moi aussi je l'ai vue assassiner ton amie et nous savons tous les deux qu'elle te cherche. La seule chose que je ne sache pas encore c'est pourquoi... mais vu qu'elle n'a pas l'air du genre à abandonner, jusqu'à ce qu'on soit en sécurité à Naples, tu la boucles ou je te jure que je colle tes fesses de princesse dans le coffre !

Naples ? Pourquoi ce crétin parle de Naples ?

– Attends un peu ! C'est quoi cette histoire de Naples ? Non parce que, autant te dire tout de suite qu'il est hors de…

Je ne finis pas ma phrase.

La lueur crue de deux phares inonde l'habitacle et un hurlement de moteur couvre ma voix.

– Ceinture ! hurle mon chauffeur en écrasant l'accélérateur.

Mais c'est trop tard.

Un choc violent me projette en avant, ma tête heurte le pare-brise et je sombre dans l'obscurité.

Georges

9 mai
Suisse, Saint-Gall

J'ai récupéré la fille.

Elle est assise à l'arrière et, même si je sais que je dois rester concentré, je ne peux pas m'empêcher de l'observer à la dérobée dans le rétroviseur.

Je ne sais pas à quoi je m'attendais mais je suis plutôt déçu ; elle fait carrément gamine ; avec sa silhouette efflanquée de garçon manqué, ses cheveux blonds presque blancs, sa peau pâle et son look cuir et jean elle ressemble à une ado qui aurait décidé de se fabriquer des bijoux en vidant les tiroirs d'une quincaillerie ! Poignets, oreilles, doigts, cou... pas un espace qui ne soit décoré de machins à clous ! C'est un panneau de pub vivant pour le rayon visserie de chez Casto et c'est tout sauf féminin.

– Et il est où Gustav ?

Même si elle est montée dans la Rolls sans faire de difficultés, je sens au regard qu'elle me lance que son cerveau turbine à cent à l'heure et que je ne vais pas m'en tirer comme ça.

– Hé, le grand con, je te cause ! T'es sourd ou tu le fais exprès ?

Si elle veut jouer à ça…

J'enclenche la fermeture centralisée et remonte la séparation mais cette gourde se jette sur le siège avant.

Sa cheville est coincée, elle a la tête en bas mais ça ne l'empêche pas de continuer à se comporter comme si elle était sortie de la cuisse de Jupiter tout en parlant comme un charretier.

Je ne tiendrai jamais dix heures avec elle ! Elle est insupportable !

J'envisage une seconde de l'endormir, mais quand je plonge dans ses yeux j'ai la vision fugitive de femmes nues voltigeant au-dessus de taureaux monstrueux, de bâtiments immenses engloutis par les eaux et de la colère terrifiante d'une femme noire aux cheveux rouges. Un cauchemar que j'ai déjà fait mille fois, un cauchemar dans lequel je sais confusément que Kassandre est présente. Présente depuis toujours.

Ma bête noire reste paralysée et refuse de m'obéir.

Ces yeux, elle les connaît et je sens que moi aussi je devrais m'en souvenir. Déjà, l'autre nuit, quand l'esprit de Kassandre avait touché le mien j'avais compris que cette fille et moi avions quelque chose en commun, mais là ce que je viens de voir ne me laisse plus aucun doute : elle et moi sommes liés et nous nous connaissons !

L'espace d'une seconde, je perds mes moyens et manque le fossé d'un millimètre en envoyant sa tête valdinguer sur la boîte à gants.

Aussitôt, elle se met à râler et mes souvenirs s'envolent.

Je décide de la libérer.

Il faut qu'on parle.

Il faut qu'elle me dise ce qu'elle sait avant que nous arrivions à Naples, car je n'aime pas être le jouet d'une autre volonté et je n'ai aucune confiance en ce nouveau père débarqué de nulle part.

Quoi que sache cette fille, elle doit me le dire.

Nous sommes sur l'autoroute depuis dix minutes et nos phares sont les seuls à percer l'obscurité, mais je sais que la paire de comiques que Don Camponi m'a adjointe pour m'aider nous encadre.

Je relâche mon attention de ce qui nous entoure pour me concentrer sur ce que je vais dire à Kassandre pour l'inciter à me faire confiance.

C'est une erreur ; quand je vois le 4x4 noir s'approcher à pleine vitesse, il est trop tard et je ne peux rien faire pour l'éviter.

La gamine n'a pas eu le temps de mettre sa ceinture, elle est assommée au premier choc mais je ne peux pas m'occuper d'elle.

Les espèces de cinglés qui nous ont pris en chasse ont l'air décidés à nous faire sortir de la route.

J'ai besoin de toute ma concentration pour rester sur le bitume.

Un éclair de lumière m'éblouit une seconde, j'ai un mauvais réflexe. La voiture part sur la droite et glisse le long de la barrière de sécurité.

Le crissement des portières sur le métal me perce les tympans.

Derrière moi le gros Hummer a rallumé ses phares, je distingue deux silhouettes derrière le pare-brise ; impossible de voir leurs visages mais je sais que la Chose de l'autre nuit est dans cette voiture.

Je vire à gauche pour les empêcher de nous doubler en bénissant le gang des Serbes de ma cité qui m'a entraîné à piloter pour les *go fast*... même si sur ce coup-là je rêverais de voir débarquer les stups !

– Bordel ! Et ils sont où les deux comiques ?! je peste en cherchant mon téléphone des yeux. Je l'avais posé sur le tableau de bord, mais le choc a dû l'envoyer valser je ne sais où.

Je réfléchis : Fosco était censé protéger nos arrières en moto, mais la présence du Hummer n'est pas bon signe pour lui. Reste Battista ; il devait nous ouvrir le chemin et avec un peu de chance il est encore devant.

Un nouveau choc par l'arrière, violent, et un staccato que je connais bien pour en avoir utilisé moi-même : Kalachnikov.

Les balles rebondissent sur le bas de caisse comme une volée de grêlons.

Ils visent les pneus, mais la Rolls doit être blindée car rien ne se passe.

Tant que je roule tout va bien... mais si je m'arrête, nous sommes morts.

J'écrase l'accélérateur et sens le moteur V12 se mettre en action. Cet engin dépasse les deux tonnes mais il décolle plus rapidement qu'une gazelle poursuivie par une lionne.

180, 200, 220, 250...

Les huit rapports de la Rolls se succèdent en un éclair.

Maintenant les arbres qui défilent sur les côtés ne forment plus qu'un mur noir mouvant et le Hummer semble avoir de la peine à me suivre ; il est toujours là, collé comme une sangsue, mais au moins il n'essaie plus de me faire quitter la route.

Je jette un coup d'œil au réservoir ; la jauge est à moitié pleine mais, à la vitesse où je roule, ça devrait s'épuiser bien avant la frontière italienne.

Devant moi, deux points rouges ; ce sont les feux arrière de la BMW de Battista.

Je ne ralentis pas, ne lâche pas le volant mais lui envoie des appels de phares.

A *priori*, il a tout de même quelques neurones connectés car il comprend que nous avons un problème, effectue un demi-tour parfait et se lance à toute vitesse dans notre direction.

– Qu'est-ce qui se passe ?

Kassandre se remet enfin de sa rencontre frontale avec le pare-brise.

– Pas le temps ! Tu t'assieds, tu la fermes et tu boucles ta ceinture !

Pour la ceinture elle obéit immédiatement ; pour le reste en revanche...

– Putain mais ralentis ! Tu veux nous tuer ou quoi ?! hurle-t-elle d'une voix aiguë en s'agrippant des deux mains à son siège.

– Moi ? non, mais les deux types derrière nous... il y a des chances !

– Et la voiture qui est devant ! Elle nous fonce DESSUS !!!

Elle n'a pas le temps de finir sa phrase que je m'écarte violemment pour laisser passer Battista qui s'en va percuter le Hummer de plein fouet.

Le hurlement de métal broyé déchire nos tympans. Ce que vient de faire Battista me confirme qu'il n'avait que deux neurones... mais si nous nous en sortons vivants je m'excuserai d'avoir pensé qu'il n'avait pas de couilles.

– Mais putain, arrête-toi ! ARRÊTE-TOI !

La gamine, complètement hystérique, me bourre de coups de poing.

Je pile ; son buste est projeté en avant. Stoppée net par sa ceinture elle rebondit sur son dossier. Elle a le souffle coupé et ça devrait la calmer deux minutes.

Du coin de l'œil, je vois l'amas de tôle fumer dans mon rétro.

La BMW est encastrée sous le Hummer qui penche dangereusement sur la droite mais, à part deux roues qui continuent de tourner dans le vide, plus rien ne bouge.

Je vais redémarrer, quand la portière passager du Hummer s'ouvre d'un seul coup. Dégondée, elle est même projetée sur cinq mètres et glisse sur le bitume dans une gerbe d'étincelles.

Deux jambes apparaissent par l'ouverture béante et un type s'en extrait.

Il est très grand, très maigre et semble avoir des bras démesurés. Je suis trop loin pour distinguer les traits de son visage mais j'ai l'impression que lui peut me voir... qu'il peut me voir jusqu'au tréfonds de mon être.

Je devrais appuyer sur l'accélérateur mais je n'y arrive pas.

Il parle ; je ne comprends pas ce qu'il dit mais il essaie de parler à mon esprit, de convaincre ma bête noire de lui obéir.

– *Tu es comme moi, je le sais, je le sens. Donne-moi la fille !*

Je n'arrive plus à bouger.

Je le vois s'approcher.

Je l'entends dans ma tête.

Il serait si simple de lui obéir.

Je sens des mains sur mes tempes, des petites paumes fraîches.

Kassandre.

Elle aussi entend la voix et elle est terrifiée.

Elle tourne mon visage vers elle et plonge ses yeux dans les miens ; ses yeux pareils aux miens.

– *Tu es mon frère, rejoins les Enfants d'Enoch et donne-nous la fille !*, répète la Chose dans mon esprit.

Mais ce que je lis dans le regard de Kassandre me hurle le contraire.

C'est elle ma sœur, elle que je dois protéger.

Je n'ai rien de commun avec ce monstre.

Kassandre caresse mon cœur et ma bête noire ronronne.

– À nous deux on peut le vaincre, utilise ton pouvoir, murmure-t-elle.

La Chose n'est plus qu'à quelques mètres.

Ses pupilles rouges luisent dans la pénombre et sa respiration sifflante perce le silence.

Au loin, des flammes lèchent les ombres, grignotent les carcasses des voitures encastrées.

Un éclair de lumière se rapproche de nous.

L'essence !

Je comprends en une seconde que le contenu des réservoirs est en train de glisser jusqu'à nous, qu'il faut faire vite.

La Chose est là, contre ma portière dont elle fracasse la vitre blindée comme si elle était en papier.

Sa main s'avance vers nous.

– Maintenant ! me supplie Kassandre en posant son front contre le mien.

Elle n'a pas besoin d'en dire plus.

Son esprit et le mien ne sont qu'un.

Comme la femme que j'ai vue sauter par-dessus les taureaux, Kassandre enfourche mon dragon et brise les liens qui nous paralysent.

À nous deux nous sommes forts, invincibles, indivisibles.

Nous chevauchons dans l'âme noire de la Chose pendant que Kassandre s'attaque à son cœur. Elle sait y faire avec le cœur des monstres, elle a déjà vaincu pire que lui, même si elle ne s'en souvient pas.

La surprise qui se peint sur le visage de l'homme est immense.

Il ne comprend pas, tombe à genoux en se tenant la tête à deux mains et siffle de haine dans notre direction.

Kassandre tremble, elle est si pâle qu'on dirait un cadavre, ses yeux ont disparu, remplacés par deux globes blancs translucides, et nous voyons ses lèvres remuer en silence à toute vitesse ; elle psalmodie des paroles dans une langue si ancienne que plus aucune oreille humaine ne peut s'en souvenir.

Son chant nous ouvre l'esprit de la Chose et mon dragon s'infiltre dans la brèche.

*Nous sommes aspirés dans des cauchemars sans nom
mais nous ne pouvons nous raccrocher à rien : il n'y a
aucune peur en lui.*

*À moins que... si, il y a quelque chose qui le terrifie et
qu'il cherche à nous cacher, c'est...*

Les deux voitures explosent d'un seul coup.

La carrosserie de la Rolls nous protège, mais le souffle
est si violent que nous sentons la vague de chaleur nous
entourer.

Agir. Vite.

Tourner la clé dans le démarreur, appuyer sur l'accélérateur, s'échapper du brasier.

La voiture bondit.

La Chose est avalée par les flammes.

Nous sommes en vie.

journal de Mina

7 mai (suite)

FUIS !

Plus que ce message, ce fut le fait que mon nom soit inscrit sur le papier qui me troubla ; qui pouvait bien savoir que je me trouvais ici ? Comment ce « quelqu'un » avait-il fait pour glisser ce message dans ma poche ? Et pourquoi ?

Je retournai la feuille à la recherche d'un indice, mais rien ! L'écriture, même si elle me semblait vaguement familière, était si tremblotante qu'elle en était méconnaissable.

Je cherchai deux minutes avant de laisser tomber. Quel que soit le temps que j'y passe je n'avais aucune prise sur ce mystère. Pour ce que j'en savais c'était peut-être un piège et, de toute manière, à quoi m'aurait-il servi de fuir ? Et pour aller où ? Pour faire quoi ?

Retourner voir ma mère et reprendre ma petite vie au lycée alors que Ka n'y était plus ?

Non, fuir ne servait à rien et je décidai qu'il était plus urgent pour moi de retrouver mon téléphone pour pouvoir appeler Ka que de m'appesantir plus longtemps sur ce bout de papier.

Contrairement à ce que je craignais, le couloir n'était pas plongé dans le noir. L'électricité était toujours coupée mais des lampes à huile et des bougies avaient été installées à intervalles réguliers et je pus atteindre sans encombre le rez-de-chaussée.

Dans cette pénombre juste percée d'îlots de lumières jaunâtres la demeure me parut encore plus étrange que la veille ; la décoration étouffante que j'avais découverte dans le salon de Khiara était omniprésente. Partout des murs tendus de tissus et surchargés de tableaux religieux, partout des sellettes couvertes de bibelots étranges scintillant à la lueur des bougies.

Cette profusion aurait pu respirer la richesse pourtant, malgré la faible luminosité, je repérai rapidement les signes d'une décrépitude avancée suggérant l'abandon : la poussière recouvrant chaque espace, les toiles d'araignées accrochées çà et là, les tapis usés jusqu'à la corde laissant parfois apparaître un plancher de bois n'ayant pas vu de cire depuis des années... il ne me fallut que quelques mètres dans le couloir pour me convaincre à la fois de l'ancienneté de cette famille, que j'avais encore du mal à croire mienne, mais aussi de sa déchéance.

Je retrouvai facilement le salon où Khiara m'avait accueillie la veille, mais malheureusement mon sac n'y était plus. Agacée, je partis à la recherche d'Esmée que je finis par dénicher à l'autre bout de la demeure dans une antique cuisine où, à l'exception d'un immense frigo américain en inox trônant comme un anachronisme entre un billot de bois et une cuisinière de fonte aux cuivres rutilants, aucune concession n'avait été faite à la modernité.

Il avait beau être plus de minuit, Esmée, un hachoir tranchant à la main, débitait un quartier de viande avec des gestes secs et une précision impressionnante, séparant sans la moindre hésitation les côtes de ce qui me sembla être une moitié d'agneau.

Maman et moi étant végétariennes, cette scène ne m'était pas familière et elle me fit un effet étrange, presque barbare, comme si j'assistais en intruse à un rituel païen, à un sacrifice chargé de rassasier quelque dieu féroce.

Esmée tenait fermement le quartier d'agneau, insérait la lame de son hachoir entre deux côtes et pénétrait la chair rosâtre avec douceur jusqu'à l'os avant de lever lentement son outil et de l'abattre d'un coup sec. La côte, esseulée, oscillait un instant puis tombait sur la planche de bois avec un claquement de baiser mouillé.

Au bout d'un moment, chaque côte ayant été séparée de la carcasse, Esmée posa son hachoir, essuya la paume de ses mains sur son tablier avant de se pencher sous le billot et de saisir un sac de toile.

Elle l'ouvrit, farfouilla dedans quelques secondes et en retira une boule de poils rousse gigotant de toutes ses forces.

La vieille femme fut si rapide que je n'eus pas le temps de l'empêcher d'agir.

Le marteau surgit de nulle part, se leva, et retomba dans un écœurant bruit de fruit écrasé sur le crâne fin du lièvre.

Je dus crier car Esmée se retourna ; dans ses mains l'animal à la fourrure tachée de rouge tressautait par saccades sur un dernier réflexe de vie tandis que les yeux de la bonne me fixaient avec surprise. D'un geste brusque elle tendit le bras vers moi.

Elle agitait le lièvre sanglant dans ma direction et semblait attendre que je m'en saisisse, mais je reculai avec effroi pour ne pas toucher la chair morte.

Constatant que je ne réagissais pas, la bonne finit par hausser les épaules et suspendit la bête à un énorme clou rouillé dépassant du mur.

J'aurais dû fermer les yeux mais j'étais hypnotisée par le spectacle.

Esmée posa délicatement la pointe de son couteau sur la fourrure du lièvre avant de la transpercer et de faire glisser sa lame latéralement d'un geste brusque. Une plaie pourpre apparut au milieu des poils roux, comme un sourire.

La vieille saisit les lèvres de la blessure à deux mains et écorcha l'animal d'un mouvement sec.

La fourrure s'arracha d'un seul coup, découvrant une chair rouge, des muscles dessinés, les restes d'un crâne défoncé, de minuscules dents blanches et deux yeux noirs sans vie.

J'aurais dû quitter la pièce en courant mais je n'en fis rien.

Inexplicablement, j'avais envie de prendre l'animal dans mes bras, de le bercer, et même de poser mes lèvres sur sa chair à vif pour en goûter la saveur.

J'ai dû m'approcher sans m'en rendre compte, car j'étais maintenant collée à quelques centimètres d'Esmée, assez près pour respirer l'odeur âcre de sa sueur. Je l'admirais positionner son couteau entre les pattes de la bête avant de remonter verticalement pour l'écarteler, séparant le petit corps en deux jusqu'à la tête.

Les viscères de l'animal glissèrent, s'écrasant au sol dans un écœurant clapot tout en aspergeant mes ballerines de sang. Pourtant, au lieu de reculer, je m'avançai encore plus près, allant jusqu'à m'accroupir pour les admirer.

Esmée me fit signe de les déposer dans un seau.

Je ramassai les boyaux encore chauds et, presque à regret, les laissai glisser entre mes doigts comme des serpents pour aller se lover au fond du récipient de zinc.

Sur l'établi, le cadavre de la bête attendait le dernier choc, celui qui le dédoublerait totalement. La vieille me tendit son hachoir et je compris qu'elle me laissait l'honneur d'achever son rituel.

Au lieu de frissonner de dégoût, sans hésiter j'essuyai mes paumes sanglantes sur le riche tissu de ma robe de soie, saisis l'instrument, levai le bras puis frappai.

Une fois.

Deux fois.

Trois fois…

Chaque coup plongeait dans la chair et rebondissait sur le billot en envoyant des vibrations parcourir mon bras avant de se perdre en vagues confuses dans tout mon corps. Je vibrais à l'unisson du monde et cette sensation était à la fois violente et… agréable.

À la dixième fois la lame s'enfonça profondément dans le bois, arrêtant mon mouvement et me tirant de la transe étrange où j'étais plongée.

Hébétée je regardai le sang sur mes mains, les traces humides maculant ma robe verte et l'animal écartelé sur le billot.

Tout à coup une vérité dérangeante m'apparut : quelque chose en moi avait aimé ce que je venais de faire. Je le ressentais dans chaque fibre de mon corps, une soif ardente de mort et de sang qui tendait la pointe de mes seins.

Je haletai.

Je ne comprenais pas ce qui m'arrivait et je reculai en secouant la tête. Moi qui avais toujours eu la viande en horreur, je rêvais maintenant de sentir sa tiédeur gluante sur ma peau.

Je ne me reconnaissais pas et, encore maintenant alors que j'écris ces lignes, je n'arrive pas à comprendre ce qui s'est passé.

Mais je dois me rendre à l'évidence : cette femme rêvant de chair morte, c'était bien moi.

C'est bien moi qui, tout en m'enfuyant dans le couloir, ai lentement porté la main jusqu'à ma bouche, glissé mon index et mon majeur entre mes lèvres avant de me mettre à les sucer.

C'est moi qui, à chaque coup de langue, ai frissonné.

Je ne sais toujours pas ce que l'odeur du sang avait réveillé en moi mais c'était extraordinaire ; son goût métallique, son odeur ferreuse, sa texture épaisse... L'extase que j'ai ressentie est encore si présente à l'instant où je rédige ces lignes en tremblant qu'elle me dégoûte et m'excite tout à la fois.

Malgré le long bain que j'ai pris pour effacer de mon corps toute trace de sang, malgré la chemise de batiste immaculée que j'ai enfilée, je sens encore son parfum… et je salive.

Devant mes yeux, posé en évidence à côté de la lettre de ma grand-mère, trône le message découvert avec la chaîne et la médaille que je porte maintenant autour du cou.

Devant mes yeux, les quatre lettres qui le composent prennent tout leur sens :

FUIS !

Qui que soit la personne qui a tracé ce mot, quelles que soient ses raisons, je sais maintenant que je dois l'écouter et quitter cette maison avant de devenir complètement folle.

Kassandre

10 mai
Région de Naples

Les mains aux ongles comme des couteaux s'enfoncent dans la chair tendre de Yo, écartèlent ses côtes dans un craquement sinistre et saisissent ses poumons palpitants.

« Regarde, Génophore, regarde… », *les yeux rouges me fixent et…*

Je me réveille en sursaut, complètement paniquée, en inspirant tout l'air que mes poumons peuvent absorber.

Encore une fois ce cauchemar, encore une fois j'ai dû cesser de respirer au moment où Yo crevait comme un chien. Dès que je ferme les yeux, dès que je baisse la garde c'est la même chose.

Je suis en train de devenir cinglée.

La portière conducteur est ouverte et je suis seule dans la voiture. Quelle voiture ? Je serais bien en peine de le dire ; nous en avons changé tellement souvent depuis le début de notre fuite que j'ai cessé de m'en soucier depuis un moment ; d'ailleurs il faudra que je pense à demander à Georges où il a appris à piquer des bagnoles parce que, visiblement, il n'en était pas à son coup d'essai.

Mais bon, c'est pas urgent et j'avoue que son petit talent nous a tout de même été vachement utile en nous permettant d'arriver jusqu'ici sans nous faire repérer… enfin, j'espère.

D'ailleurs, en parlant de Georges, je ne le vois nulle part et j'aimerais bien savoir où il se cache. Ne pas sentir son cœur me perturbe plus que je ne le pensais et un frisson me parcourt l'échine quand je comprends que je ne peux même pas être certaine qu'il soit vivant.

Inutile de voir tout en noir ; Georges a juste dû avoir besoin de faire une pause, car le moteur ne tourne plus.

Il faut que je me calme.

J'inspire plus doucement.

Quelque chose a changé : l'air sent le sel, une brise tiède caresse mon visage et me rappelle un autre vent iodé surgissant du passé.

Je secoue la tête et le souvenir disparaît.

J'ai les reins en compote et j'ai du mal à émerger.

Je referme les yeux une seconde ; même si me rendormir signifie retrouver mon cauchemar, je ne suis pas certaine que rester éveillée soit un meilleur choix. Ça m'obligerait à me replonger dans ce qui s'est passé la veille.

J'ai encore le bruit des tôles écrasées qui grince dans mes tympans et la vision de la Chose émergeant des flammes me hante.

La Chose qui a tué Yo est revenue, et elle est revenue pour moi.

Même si j'ai tenté un moment de me persuader du contraire, maintenant il m'est impossible d'en douter : c'est moi et moi seule que ce monstre cherchait quand il est venu dans le parc ; c'est moi qu'il aurait dû attraper ; moi et pas Yo... qui est morte par ma faute !

Mes reins à moitié bloqués ne sont rien à côté de la douleur que je ressens en pensant à ce qui est arrivé à mon amie.

Depuis que la Chose a violé mon esprit pour m'obliger à la regarder assassiner sa proie, la scène est gravée au fer rouge dans mon cerveau ; je connais la sensation de ses doigts creusant dans la chair tendre, je peux me souvenir de chaque craquement d'os, de chaque inspiration sifflante et désespérée de Yo pour rester en vie et ces images tournent en boucle dans ma tête. J'espérais qu'en quittant la pension je laisserais ce cauchemar derrière moi, mais maintenant que la Chose est à ma poursuite je pense que je ne suis pas près de retrouver le sommeil !

Je frissonne ; même s'il a l'air de penser le contraire, moi je sais que si Georges n'avait pas été là hier soir pour m'aider à repousser ce monstre je serais entre ses mains, enfin, ses griffes ou ses dents ou... je préfère ne pas y penser.

Je dois accepter la réalité : pour une raison que j'ignore je suis devenue une proie et, tant que je ne saurai pas pourquoi, je serai incapable de me défendre et j'ai tout intérêt à rester avec Georges.

En parlant de lui, il est passé où ?
Je m'étire, le cherche du regard mais ne le trouve pas.
Au loin, le jour a commencé à se lever.

Nous sommes garés face à la mer sur une corniche aux flancs verts couverts d'une multitude de pergolas de bois. L'Italie ; je le sais car j'ai déjà vu ce type de structure pendant notre voyage scolaire de l'an dernier : Pompéi, Herculanum et le Vésuve ! Un putain de voyage avec Mina et tous les abrutis de notre classe, dont le seul bon moment avait été quand on s'était tirées toutes les deux dans les ruines. Deux heures peinardes à visiter les chantiers interdits aux touristes en nous prenant pour des esclaves en fuite. Un super souvenir.

Au loin, j'aperçois la mer qui scintille sous le cône d'un volcan.

Ça ne peut être que le Vésuve pourtant, pendant quelques secondes, un autre volcan se superpose à celui-là. Un volcan beaucoup plus haut, beaucoup plus gros et qui me fait une peur atroce.

Comme pour l'odeur iodée de tout à l'heure, il suffit que je cligne des yeux pour que la sensation disparaisse.

Je m'étire une nouvelle fois et mon dos craque douloureusement. Je masse mes reins, puis je replie mes bras et frotte mes poings serrés contre mes paupières. La sensation est désagréable et un coup d'œil dans le miroir du pare-soleil confirme ce que je redoutais : j'ai l'œil droit gonflé, une bosse sur le front, le mascara dégoulinant, des croûtes de sang sous les narines, les cheveux en pétard et la marque de la ceinture de sécurité incrustée sur la joue droite. Pour la faire courte, j'ai la gueule d'un raton laveur qui aurait rencontré un pare-chocs...

– Alors, Princesse, bien dormi ?

Je sursaute. Je n'ai pas entendu Georges s'approcher et je crois que je ne m'y habituerai jamais.

– Comment ça se fait que je n'arrive pas à percevoir ton cœur ?

Georges hausse les épaules.

– Je n'en sais rien… peut-être parce que, moi aussi, j'ai des pouvoirs, et que tu ne peux sentir que les humains normaux ? avance-t-il. Et la Chose, tu peux la repérer ?

C'est une bonne question mais j'ai du mal à y répondre.

– Je n'en sais rien. La première fois, dans le parc, c'est elle qui a senti que j'étais là et c'est elle qui m'a forcée à « regarder » ce qu'elle faisait à Yo, mais hier, avec ton aide, j'ai réussi à prendre le contrôle de son cœur et à le forcer à cesser de battre quelques secondes. La Chose ne s'y attendait pas et j'ai senti sa surprise… mais elle est beaucoup plus forte que moi et dès qu'elle a compris ce que je faisais elle m'a repoussée.

Georges grimace.

– Oui, c'est pareil pour moi ; pendant que tu t'occupais de son cœur j'ai réussi à paralyser son esprit quelques secondes avant de me faire expulser. Nous sommes plus forts en unissant nos pouvoirs mais, quelle que soit cette chose qui nous poursuit, elle reste plus forte que nous et je pense qu'on a eu de la chance que les voitures aient explosé à ce moment-là.

Ce n'est pas très rassurant, mais je comprends qu'il a raison.

Hier, nous avons passé des heures à parler en roulant.

Georges est la première personne à qui j'explique le fonctionnement de mon pouvoir, mais après ce que nous venions de vivre je savais qu'il ne me prendrait pas pour une cinglée et ça m'a fait du bien d'avouer enfin à quelqu'un ce que je cachais depuis toujours.

La première – et dernière – fois où j'en avais parlé, j'avais cinq ans ; j'étais en ville avec Mère quand une vieille dame s'était écroulée sur le trottoir devant nous. Un homme s'était précipité pour appeler les secours et avait commencé à lui faire un massage cardiaque, mais je lui avais dit que ça ne servait à rien car le cœur de la dame ne battait plus. En m'entendant, Mère avait sursauté avant de me secouer violemment par le bras en me demandant pourquoi je disais une chose pareille. Elle me serrait si fort que je m'étais mise à pleurer, mais elle ne voulait pas me lâcher alors je lui avais dit que j'entendais le cœur des gens et je lui avais demandé pourquoi son cœur à elle s'était mis à battre aussi vite.

Quand on est enfant on ne réfléchit pas à ce qu'on est : riche, pauvre, fille, garçon, beau, laid… c'est comme ça, point. Quand j'étais petite, je pensais que tout le monde avait le même pouvoir que moi et, après tout, pourquoi entendre le cœur des gens aurait-il été différent de les entendre rire ou respirer ?

C'est toujours le regard des autres qui te fait prendre conscience que tu es différent.

Ce jour-là, quand ma mère s'était mise à me regarder avec terreur avant de me faire jurer de ne jamais parler de cette « abomination » à personne, et surtout pas à mon père, j'avais cessé d'être une enfant.

Toute ma vie j'avais gardé ce secret pour moi, je n'avais même pas osé l'avouer à Mina, et en parler hier avec Georges, découvrir que je n'étais pas la seule à avoir des pouvoirs, même si ça ne m'aidait pas à expliquer grand-chose, ça m'avait fait du bien.

– Tu as besoin de faire une pause pipi ou on peut repartir ?

Mon chauffeur a déjà repris sa place derrière le volant et enclenché le démarreur.

Ça va beaucoup trop vite pour moi.

– Attends un peu ! Il faut qu'on termine notre conversation d'hier soir. Je ne vais pas plus loin avant d'en savoir plus !

Je suis prête à me battre pour imposer mon point de vue, mais c'est inutile ; Georges coupe le moteur et se tourne vers moi en soupirant.

– Et tu veux savoir quoi de plus ? Moi je t'ai dit tout ce que je savais… c'est plutôt ton tour de parler.

– Tu plaisantes ! Tu m'as juste dit que tu avais été abandonné à la naissance, que tu avais un genre de bête noire qui te permettait d'aspirer les peurs des gens, que le grand chef de la mafia napolitaine t'avait retrouvé grâce à une prise de sang et qu'il t'avait demandé de venir me chercher parce que j'étais une… comment tu dis déjà ?

– Une Génophore.

– Ouais c'est ça, une *Génophore*. Et donc que tu devais venir me chercher avant que d'*autres*, les *Enfants d'Enoch*, m'attrapent pour m'emmener je ne sais où pour me faire je ne sais quoi ! Putain mec, c'est sûr qu'avec toutes ces explications hyper claires je ne comprends pas du tout pourquoi j'hésite encore à te suivre !

Au regard que me lance Georges je comprends que je dois être hystérique, mais je n'arrive plus à me calmer.

– Princesse…

– Et arrête avec tes *Princesse*, putain ! Je m'appelle Kassandre, ou Ka ! Ka, c'est pas compliqué pourtant y a que deux lettres, tu devrais réussir à t'en souvenir !

Je donnerais un bras pour avoir mes baguettes, me défouler sur la gueule de ce crétin et effacer le petit sourire qui vient de s'y afficher.

– Pourquoi tu te marres ?!

– Parce que tu es peut-être de la haute mais pour ce qui est de l'orthographe, excuse-moi mais tu es vraiment nulle… « Cas » ça s'écrit en trois lettres, pas en deux. Mais j'admets que ça te va bien, parce que t'en es un sacré… cas !

C'est débile mais il se marre. Pas juste un petit ricanement mais un bon gros fou rire des familles, un truc énorme qui fait trembler la voiture et douche aussitôt ma colère.

– Sale con.

Je râle pour la forme, parce que dès qu'il tourne son visage vers moi en articulant mon prénom j'éclate de rire à mon tour.

Le fou rire nous tient cinq minutes et, même s'il n'arrange pas les douleurs de mes côtes, il me fait un bien immense.

Depuis que j'ai quitté Mina, depuis que j'ai vu Yo mourir sous les griffes de la Chose, c'est la première fois que la chape de plomb qui pèse sur moi se soulève un peu et je prends conscience que depuis mon anniversaire les événements s'enchaînent à toute vitesse sans que je les maîtrise.

Il faut que je reprenne ma vie en main, que j'arrête de subir et ce qui s'est passé hier soir me prouve que ce sera plus facile si je ne suis pas seule.

Mais pour faire équipe avec ce type il faut que je lui fasse confiance et que je lui dise ce que je viens de réaliser.

– Georges… je crois que ma mère est au courant de quelque chose.

Il retrouve immédiatement son sérieux.

– Comment ça ?

– Le jour où je lui ai parlé de mes pouvoirs elle a flippé grave mais elle n'a pas eu l'air surprise, comme si elle savait que ce genre de truc était possible. Ça expliquerait pourquoi elle n'a jamais voulu que je voie un médecin ou que je fasse une prise de sang… Si la Chose s'en est d'abord prise à Yo, c'est parce que j'avais mis mon sang à la place du sien dans un prélèvement. Ma mère devait savoir ce qui arriverait si jamais je faisais une analyse.

Georges m'écoute et hoche la tête gravement.

– Je m'en doutais. C'est aussi comme ça que Jarod m'a retrouvé, grâce à un test sanguin. Il y a certainement quelque chose dans notre sang qui leur permet de nous reconnaître. Je pense même que ce « quelque chose » a un rapport avec nos pouvoirs.

En face de nous, le soleil finit de se lever sur la baie de Naples. Le spectacle est magnifique mais aucun de nous n'en profite vraiment.

– Tu as confiance en Don Camponi, Georges ?

J'ai pris un ton grave et Georges comprend que ma question est importante.

– Non, je n'ai pas confiance.

Net, clair, précis.

– Ben… pourquoi tu fais ce qu'il te demande alors ?

Georges soupire, passe la main dans sa tignasse blonde et finit par me répondre.

– Don Camponi, c'est mon père…

– Ton père ! Je croyais que tu étais orphelin !

Georges fronce les sourcils.

– J'ai dit « abandonné à la naissance », pas orphelin, mais de toute manière ça ne change pas grand-chose, même si j'avoue que la coïncidence est étrange ce ne sont pas une médaille et des pouvoirs en commun qui me prouvent quoi que ce soit.

– Alors pourquoi tu lui as obéi ?

Il a l'air de chercher ses mots, comme s'il n'y avait pas vraiment réfléchi avant cette minute… et sa réponse me prouve que c'est un peu le cas.

– Au début, je suis venu te chercher car j'étais curieux de rencontrer quelqu'un comme moi ; je pensais que ça m'aiderait à comprendre ce que je suis et pourquoi je suis si différent des autres. Mais là, je vois bien que tu es aussi paumée que moi et j'ai l'impression d'être un pion qu'on balade. Je n'ai confiance en personne, Kassandre… En fait, la seule chose dont je sois à peu près sûr c'est que toi et moi jouons dans la même équipe.

Je hoche la tête, il n'a pas vraiment d'arguments mais je sais qu'il a raison ; si on veut avoir une chance de nous en sortir il faut que nous restions soudés.

– Alors on fait quoi ? Tu me ramènes quand même à Naples chez ton père ou on essaie de choper ma mère en Suisse et de lui tirer les vers du nez ?

Georges sursaute.

– Tu es cinglée ! Tu as oublié ce que je t'ai dit hier soir à propos de Don Camponi ?! C'est un parrain de la mafia. Si on se barre maintenant on aura les Enfants d'Enoch et la Camorra sur le dos, c'est du suicide ! Même si ça ne me plaît pas plus qu'à toi, je pense qu'aller à Naples est ma... notre meilleure option. Il sera toujours temps de nous enfuir si ça sent trop le roussi.

Il attend ma réponse, mais avant de la lui donner j'ai besoin de savoir quelque chose, quelque chose d'important.

– Qu'est-ce que tu as fait du chauffeur de la Rolls ? Je sais qu'il ne te l'aurait jamais laissée de son plein gré.

J'ai peur de sa réponse, car je ne pourrais jamais faire équipe avec lui si je découvrais qu'il avait fait du mal à Gustav.

– Don Camponi voulait que je l'élimine...

– QUOI ?!

– ... mais ce que j'ai lu dans son esprit m'en a empêché ; c'est un type bien... et il t'aime beaucoup, poursuit Georges en me faisant signe de me calmer. Il s'est juste évanoui et je l'ai caché dans le fossé avant que les autres arrivent ; il ne devrait rien avoir de plus qu'une grosse migraine.

Je soupire de soulagement ; il pourrait mentir, mais mon instinct me souffle qu'il me dit la vérité.

– OK, je te crois. Alors on fait quoi maintenant ?

Georges désigne le creux de la baie d'un vaste mouvement du bras.

– Maintenant on entre dans la gueule du lion napolitain et on fait en sorte d'en apprendre suffisamment pour reprendre les rênes.

journal de Mina

Date inconnue

Fuir ! Depuis l'autre soir c'est devenu mon unique obsession, mais c'est un rêve hors de ma portée et je dois me rendre à l'évidence : je suis prisonnière !

Après ce qui s'était passé dans la cuisine j'étais bien décidée à quitter la maison à la première heure du jour, mais encore une fois j'ai dormi d'un sommeil étrange peuplé de cauchemars aux yeux rouges.

Je ne suis même plus capable de dire quel jour nous sommes ni combien de temps j'ai dormi.

Je viens juste de me réveiller et il fait à nouveau nuit noire.

J'ai l'étrange sensation d'avoir dormi plusieurs jours d'affilée.

Je ne comprends rien à ce qui m'arrive, mais j'ai la certitude d'avoir été une nouvelle fois droguée. Cette hypothèse me permet à la fois d'expliquer le dérèglement de mon horloge interne mais aussi le contenu surréaliste de mes rêves.

Sinon, comment accepter ce qui m'arrive ? Dois-je croire que je me suis tout à coup transformée en une de ces héroïnes débiles de bit-lit qui se pâment devant la moindre goutte de sang ?

N'importe quoi ! Et pourquoi pas en vampire, tant que j'y suis ?!

Non, la seule explication valable est celle que je viens de citer : ma grand-mère me drogue pour m'obliger à rester dans cette maison jusqu'à son retour et sa drogue provoque en moi des hallucinations. C'est la seule possibilité ; pour une raison que j'ignore je suis prisonnière, droguée et je dois absolument réussir à m'évader.

Tant pis pour mon sac et peu importe l'endroit où je me rendrai en quittant cette maison. Cette fois-ci je ne me ferai pas avoir.

Je vais m'habiller et me tenir prête.

Dès qu'Esmée sera venue m'apporter mon plateau, je me faufilerai hors de ma chambre pour fuir cet endroit.

(suite)

Je suis de retour dans ma chambre.

Mon évasion a lamentablement échoué et, même si Khiara m'assure que je me fais des idées, le bruit de la clé qui vient de tourner dans la serrure me prouve que j'avais raison : je suis bel et bien prisonnière.

Pourtant, tout avait bien commencé.

Comme la veille, des vêtements m'attendaient dans la grande armoire. Cette fois-ci c'était un tailleur-pantalon beaucoup plus discret que la robe verte et j'y avais vu un bon présage avant de découvrir qu'il allait me falloir le porter avec des escarpins monstrueusement hauts.

Mais bon, ne pouvant pas envisager de parcourir la ville pieds nus j'avais chaussé ces échasses et rejoint en louvoyant le rez-de-chaussée.

Je n'avais croisé personne et quand la porte d'entrée s'était ouverte sur la rue sans aucune difficulté je m'étais crue sauvée. Malheureusement, juste au moment où j'allais franchir le seuil de la maison, une voix m'avait arrêtée.

– Mina, ma chérie, où vas-tu ?

Khiara s'était matérialisée dans mon dos sans que je l'entende arriver et je sursautai.

C'était bien sa voix, pourtant quand je me retournai je peinai à la reconnaître ; la vieillarde voûtée aux cheveux sales qui m'avait accueillie était devenue une femme, certes âgée, mais d'un chic et d'une prestance éblouissants. Vêtue d'un tailleur gris cintré sur une blouse de soie noire dont le col haut fermé par un camée ancien dissimulait son cou flétri, elle avait dû profiter de son absence pour aller chez le coiffeur car ses cheveux, serrés dans un chignon complexe mettant en valeur l'ovale parfait de son visage, étaient maintenant d'un blanc neigeux. On aurait dit une de ces matriarches américaines, une Rose Kennedy mais en nettement plus glaçant et, à la voir ainsi transformée devant moi, je me fis la réflexion que cette femme avait dû être belle… très belle, même.

Malheureusement ce n'était pas la seule chose qui avait changé chez ma grand-mère ; toute la chaleur qu'elle m'avait témoignée lors de mon arrivée semblait elle aussi avoir disparu et c'est d'une voix tranchante qu'elle répéta :

– Où vas-tu ma chérie ? Ne t'avais-je pas déconseillé de sortir de la maison ?

La question sonnait comme un ordre et je reculai d'un pas. À moitié dehors je pouvais sentir le parfum de la ville, un parfum âcre de goudron chaud, de gaz d'échappement et de relents d'égouts.

Au-dessus de ma tête, coincées entre deux cheminées, quelques étoiles brillaient à travers des lambeaux de nuages plus sombres que le ciel tandis qu'à quelques mètres, juste au bout de la ruelle, la vie frénétique de la grande rue bouillonnait.

Je reculai encore, prête à me mettre à courir, quand le talon d'un de ces fichus escarpins se coinça entre deux pavés. J'aurais dû l'enlever, soulever cette saleté de pantalon trop long et courir pieds nus jusqu'à la lumière, j'aurais dû mais je ne l'ai pas fait et je ne sais toujours pas pourquoi. Parce que ça ne se fait pas ? Parce que je n'arrivais pas à me résoudre à abîmer de si beaux vêtements ? Par peur du ridicule ? Un peu tout ça à la fois sans doute, mais de toute manière ces quelques secondes ont suffi à me perdre.

Sentant mon hésitation, Khiara s'est avancée en souriant avant de me prendre doucement par la taille pour m'éloigner de la rue et refermer la porte derrière moi.

– Viens t'asseoir un moment, j'ai plein de choses à te raconter. J'ai vu la famille, ta famille, et tous ont hâte de te rencontrer. Ton retour est une bénédiction, maintenant que tu es là tout va changer… Et puis, si tu tiens tant que ça à partir, viens au moins récupérer ton sac et tes affaires ; j'ai vu qu'Esmée avait fini de les nettoyer, me lança-t-elle en m'entraînant à sa suite dans le salon.

Avec du recul je sais que c'est à ce moment-là que j'ai fait une erreur. La liberté était à quelques mètres et Khiara était seule. J'aurais dû résister, abandonner mon sac, refuser de la suivre et sortir tenter ma chance pieds nus dans l'obscurité de la ville. Tout plutôt que de le rencontrer. Tout plutôt que de savoir qui je suis et ce que ma famille attend de moi.

Mais maintenant c'est trop tard, je suis enfermée, il est arrivé et je sais que contre lui je ne peux rien faire. Rien à part continuer de remplir ce cahier en espérant trouver un moyen de prévenir Ka de ce qui se prépare.

Georges

10 mai
Naples
Quartier de Scampia

– La vache ! J'ai l'impression d'être Obama en visite
à Paris après les attentats ! Question protection, ton
mafieux de père est peut-être fortiche mais pour ce qui
est de la discrétion, on repassera, ironise Kassandre tandis que nous roulons sur la voie rapide de Naples.

Elle a raison. Entre la Mini Austin rose que j'ai piquée
au dernier arrêt, les quatre grosses cylindrées noires qui
nous entourent et la flopée de motos qui nous dégagent
le passage, on a peu de chances de passer inaperçus.

– Tu préfères un petit tête-à-tête avec notre copain
d'hier soir, Princesse ?

Son sourire disparaît immédiatement mais au lieu de
râler elle se contente de me tourner le dos et colle son
front sur la vitre sans dire un mot.

C'est une première.

– Ça va ?

Pas de réponse.

Si nous sommes aussi bien entourés, c'est que pendant notre arrêt sur la corniche j'en ai profité pour appeler Jarod et lui raconter ce qui s'était passé.

La mort de Fosco et Battista : rien à foutre, mais quand j'ai parlé de la Chose, Don Camponi a réagi immédiatement en envoyant des hommes nous protéger.

Seul, j'aurais refusé ; je n'ai pas l'habitude de laisser les autres mourir pour moi, mais il y avait Kassandre ; Kassandre l'emmerdeuse avec son maquillage dégoulinant et sa grande gueule qui avait ronflé comme un gros bébé dans la voiture pendant plus de deux heures avant de plonger dans des cauchemars qui semblaient pires que les miens.

Cette fille j'ai du mal à la cerner, elle est... différente. Pas seulement à cause de son pouvoir, ni de son fichu caractère. Non, elle est différente parce que c'est une boule de rage emballée dans du coton... comme un oursin avec les épines à l'intérieur. Oui, je sais, je ne suis pas le roi de la métaphore mais c'est comme ça que je la ressens et là, quand je vois la tête de môme qu'elle fait en regardant la zone pourrie où nous venons d'arriver, je sais que j'ai raison : la gamine fait genre qu'elle gère et qu'elle n'en a rien à foutre, mais je sais qu'elle a peur et je ne peux pas m'empêcher d'avoir envie de la protéger.

Les deux hautes façades marquant l'entrée des *Vele* sont enfin en vue et, comme moi il y a quelques jours, Kassandre sourit en découvrant les fresques tropicales et le message d'accueil qui y est inscrit.

Nous avançons doucement.

– Sympa ton quartier, grogne-t-elle en détaillant le paysage.

J'aurais du mal à lui donner tort.

Ça sent le caoutchouc brûlé ; une carcasse de voiture, vestige de la nuit, finit de se consumer doucement dans une allée.

Les immeubles lépreux sont alignés au garde-à-vous et leurs yeux démultipliés, cachés sous leurs paupières multicolores de vieilles putains trop fardées, scrutent notre convoi.

Ici chaque hall, chaque porte, chaque coin de rue a son guetteur, et chaque guetteur son armée d'étourneaux qui s'envolent sur un simple geste pour aller prévenir les plus gros prédateurs que « quelque chose » se passe.

Des volées de mômes en baskets et survêts crasseux sifflent sur notre passage pour annoncer notre arrivée.

Kassandre semble anesthésiée. Son corps est plus immobile que celui d'une statue mais sa tête tourne par saccades brusques comme si elle essayait d'appréhender la totalité du paysage par petites touches. Elle est en train de plonger dans une eau inconnue et sa mâchoire légèrement entrouverte trahit son incrédulité.

C'est sûr que ça doit la changer de ses quartiers habituels.

– Ne t'inquiète pas Princesse, il y a un Gucci et un Prada dans le centre-ville, je t'emmènerai tout à l'heure pour que tu puisses te faire un petit shoot de luxe…

J'essaie juste de détendre l'atmosphère, mais elle prend ma remarque comme une gifle.

– Putain de merde ! Pour qui tu me prends espèce de connard ?! Et tu vas arrêter avec tes *Princesse* ! Comment faut que je te le dise pour que tu comprennes ?

– Sans gros mots peut-être ?

Quand je vois sa bouche s'arrondir de surprise, je comprends que j'aurais mieux fait de me taire.

Kassandre explose de rire.

– Je le crois pas ! Georges, le mec qui sort de prison, le fils du big boss de la Camorra, celui qui n'a peur de rien « n'aime pas les gros mots »... Naaan, sans déconner, t'es trop mignon mon Choupinet.

Moi qui voulais la détendre, c'est réussi. Cette imbécile est pliée en deux et je serre les dents pour ne pas lui en coller une.

Heureusement la bouche béante du parking de l'immeuble de la Camorra s'ouvre devant nous et l'obscurité se charge de la faire passer à autre chose.

Lors de mon premier passage j'avais trouvé l'endroit sinistre, mais là on se croirait carrément en zone de guérilla urbaine. C'est à croire que Don Camponi a battu le rappel de tout ce que l'Italie compte de malfrats.

Le parking est bondé, seule l'allée centrale est dégagée et la Mini glisse entre des bandes de types plus laids les uns que les autres, armés jusqu'aux dents, et qui semblent prêts à sauter dans leurs voitures surgonflées pour charger l'ennemi.

Pas un ne bouge en nous voyant passer mais leurs regards nous suivent avec... peur ? dégoût ? envie ? je n'arrive pas à savoir, mais l'ambiance est électrique.

– Toi aussi tu le sens ? demande Kassandre.

Je hoche la tête.

Rien à répondre, mais il faut que je la rassure.

– Ne t'inquiète pas, je suis un VIP, le physionomiste me connaît, on ne fera pas la queue.

Ma blague tombe à plat.

De toute façon on est arrivés au bout de l'allée et je coupe le moteur.

– Je te préviens Choupinet, si tu fais le tour pour m'ouvrir la porte ou une autre connerie moyenâgeuse de ce genre je te brise les rotules, me lance Kassandre en saisissant la poignée de sa portière.

Je sors en même temps qu'elle et me dirige vers l'ascenseur sans l'attendre. Si elle veut jouer les grandes filles, ça la regarde.

Cette fois-ci, pas de comité d'accueil, juste les regards des dizaines de gros bras entassés dans le sous-sol et les grognements de leurs chiens d'attaque.

Personne pour remplacer Fosco et Battista, alors j'ouvre la porte et m'engouffre dans la cabine.

Kassandre est sur mes talons.

– Sympas tes potes, drôlement accueillants. T'es certain qu'on est attendus ? parce que vu d'ici c'est pas super évident tout de même, marmonne-t-elle pendant que le battant se referme.

Je soupire.

– Si on n'était pas attendus on serait morts… et tu ne serais pas en train de me saouler. Alors mets-la en veilleuse deux secondes sinon c'est moi qui vais finir par ne pas être accueillant.

Son majeur droit se lève lentement vers le plafond mais l'arrêt brutal de la cabine l'empêche de développer sa pensée.

Jarod et Don Camponi nous attendent dans le grand appartement vitré où je les ai rencontrés la première fois.

J'entends Kassandre hoqueter.

J'ai « oublié » de la prévenir de l'aspect physique des deux hommes et, quand je vois la pâleur soudaine de son visage, je regrette ma petite vengeance.

– Les yeux rouges, Georges, ce sont les mêmes yeux rouges que ceux de la Chose de l'autre nuit...

Ka tremble comme une feuille, son pouvoir ondule entre nous et ma bête noire se réveille pour la protéger.

Un vase de cristal explose ; des tulipes blanches et rouges s'envolent dans la pièce et retombent au ralenti comme des oiseaux touchés en plein vol.

Je prends sa main.

– Ka... Jarod est albinos, c'est pour ça que ses yeux sont rouges, rien à voir avec la Chose.

Mais Kassandre n'est plus en mesure de m'entendre. Ses yeux sont devenus blancs.

Toutes les ampoules de la pièce éclatent ; des milliers de poussières tranchantes scintillent autour de nous comme des nuées ardentes.

Les veines de son cou battent la mesure de son pouvoir, ses doigts se recourbent et, quand elle se penche en avant en sifflant, ma bête noire siffle avec elle.

– Georges ! Arrête-la, m'ordonne Don Camponi en tendant le bras vers Jarod.

Mon père est trop loin de Kassandre pour la toucher ; ça confirme ce que je pensais : il a besoin d'un contact direct pour utiliser son pouvoir et je range immédiatement cette info dans un coin de mon esprit.

Les mains sur la poitrine, le visage creusé par la douleur, l'albinos est à genoux, terrassé par le pouvoir qui s'abat sur lui.

Ma bête noire frémit, elle observe avec curiosité le cœur de Jarod qui se tord entre les puissantes serres de l'esprit de Ka.

Elle va le tuer mais ça ne nous fait ni chaud ni froid.

Qu'avons-nous à faire de l'albinos ? murmure ma sombre amie.

– Georges ! Jarod est le seul à pouvoir trouver les autres Génophores, tu dois arrêter ça ! me crie mon père en activant son fauteuil.

Sa voix métallique me ramène à moi-même. Il se rapproche lentement. Il faut que j'arrête Kassandre avant qu'il ne la touche.

– Ka, ça suffit, laisse tomber !

Non seulement elle ne m'entend pas, mais ma bête noire siffle de frustration et se connecte à Kassandre pour l'aider ; elle a tellement envie de tuer qu'elle ne me laissera pas l'arrêter et mon dragon se laisse emporter.

Sa bête à elle est blanche, lumineuse, c'est un taureau ailé aux plumes acérées comme des lames de couteau et mon dragon le reconnaît.

Nous enlaçons nos filaments visqueux à ses ailes translucides.

L'esprit de Ka danse enlacé au nôtre, nous ne sommes plus qu'un et regardons le cœur de Jarod battre de plus en plus lentement entre nous.

C'est si bon.

Je ne peux pas laisser Jarod mourir, je ne suis pas un tueur.

Mais comment arrêter Kassandre si ma bête noire refuse de collaborer ?

Hier, le lien avec la Chose a été interrompu par l'explosion.

Un choc ?

Ça pourrait marcher…

Kassandre

10 mai
Naples
Quartier de Scampia

Toutes les nuits des yeux rouges fouillent mes cauchemars et m'appellent.

Ils sont le mal, le mal incarné mais aussi la puissance, une puissance noire, absolue.

Je tremble et pourtant je sais que je peux être aussi forte, plus forte même ; j'ai ça dans mes gènes, dans mon sang.

Quelque part au fond de moi, dans mes ténèbres intimes, là où mes peurs n'existent plus, je plonge dans les globes écarlates.

Je veux trouver la racine de leur force, leur voler leur pouvoir mais les yeux rouges m'échappent.

Ils se dissolvent, se délavent, bouillonnent comme de la lave.

Maintenant leurs iris sont de glace, celle des icebergs meurtriers et du ciel sans oxygène ; des yeux bleus comme le sont les miens et comme le sont ceux de Georges.

Non… les iris bleus fondent, se liquéfient, s'échappent en leur centre comme dans une bonde ouverte qui s'élargit.

À présent les yeux sont noirs comme la haute mer. Ils ont la profondeur des abysses, là où aucune vie ne subsiste ; des yeux noirs comme la mort qui… qui tourbillonnent follement avant de se solidifier en une pierre précieuse de plus en plus claire, de plus en plus lumineuse : une émeraude ornée d'une pupille noire.

Des yeux… verts ?

Mina ?

Encore une fois je me réveille en sursaut, le cœur battant, les mains tremblantes avec l'impression que je suis passée à côté de quelque chose.

– Enfin réveillée ? demande Georges.

Je tourne la tête.

Je suis allongée sur un canapé au centre du salon où nous sommes arrivés tout à l'heure, Georges est assis sur un fauteuil à un mètre de moi et c'est lui qui me questionne.

– Qui est Mina ?

J'ai dû parler dans mon sommeil mais je n'ai pas envie de lui répondre, Mina n'appartient qu'à moi et…

Je me redresse d'un seul coup en criant :

– Les yeux rouges ! La Chose ! Elle était là avec nous, je l'ai vue !

Georges est à côté de moi en moins d'une seconde.

– Pas de panique Princesse, respire à fond, nous ne sommes que tous les deux.

Il a raison, la pièce est immense, avec une déco à chier, mais hormis les visages tourmentés des tableaux religieux accrochés aux murs, personne ne nous regarde.

– Les deux autres, ils sont passés où ?

– Pas loin, mais Don Camponi a pensé qu'il serait plus sage que je t'explique un peu qui ils sont avant de revenir. Il faut dire que tu leur as foutu une sacrée frousse, conclut-il avant de ramasser et de me tendre une poche de glace que j'ai dû faire tomber en me redressant.

– Tiens, remets ça sur ta joue si tu ne veux pas qu'elle enfle trop.

– Ma joue ? Pourquoi ma joue ?

Je porte la main à mon visage et sens la bosse qui est en train de se former sur ma pommette. J'ai mal aux mâchoires et je vais lui demander ce qui s'est passé quand les images reviennent d'un seul coup : l'albinos aux yeux rouges, ma peur, son cœur que je serre entre mes mains, la bête noire de Georges qui caresse mon esprit, jusqu'à ce que…

– Dis donc, enfoiré, ça ne va pas bien de m'avoir cogné dessus comme ça ?! T'es taré ou quoi ?

À sa décharge, Georges a l'air un peu gêné.

– Tu allais tuer Jarod. T'assommer est le seul moyen que j'ai trouvé pour t'arrêter.

– Mais ? Georges, ses yeux !

– Et alors ? Les lapins aussi ont des yeux rouges… Rassure-moi Kassandre, j'espère que tu n'as pas l'intention d'exécuter tous les lapins que tu croises, parce qu'on a assez d'ennemis comme ça sans se mettre en plus la SPA sur le dos !

– Crétin…

– Ouais, je sais, mais n'empêche que, malgré ses yeux, Jarod n'est pas la Chose ; il est juste albinos. C'est lui l'hématologue dont je t'ai parlé et qui nous a prévenus pour ton test sanguin. Je te rappelle que nous sommes venus ici pour avoir des réponses alors, à moins que tu aies aussi des talents de nécromancienne, ce serait bien de garder nos principales sources d'information en vie… d'où le coup de poing, désolé.

Il a raison, mais il est hors de question que je l'admette.

– T'aurais pu me prévenir pour l'albinos, ça m'aurait évité de flipper.

Les yeux de Georges dérapent vers la gauche. Ça ne dure qu'une seconde, mais je joue au poker depuis que j'ai huit ans alors ça fait tilt immédiatement.

– Putain, je ne le crois pas ! Tu l'as fait exprès ! T'es vraiment qu'un sale con. Comment tu veux que je te fasse confiance maintenant ?

– Parce que je t'ai sauvé la vie, que j'ai un humour d'enfer et que je suis un mec canon ?

Je manque de m'étouffer devant un tel culot et seul le bruit d'une porte qui s'ouvre m'empêche de lui faire ravaler son petit sourire en coin.

Accompagné par le léger couinement que font ses roues caoutchouteuses en s'agrippant sur le sol de marbre, Don Camponi s'avance lentement vers nous.

Si Georges ne m'avait pas assurée que ce type était un parrain de la mafia je n'aurais jamais pu le deviner. Rien de commun entre Don Corleone et le gnome rabougri qui se traîne sur son fauteuil roulant électronique. Cet amas de chairs torturées n'a pas grand-chose d'humain.

Enfin, si. À bien y regarder tout est là : mains, genoux, pieds, coudes, torse, visage… mais tout semble désarticulé, comme si un gamin vicieux avait démonté chaque morceau de son corps avant de le tordre et de le replacer sur un mauvais axe. Je pense immédiatement à une pochette de Sepultura. Celle de 1991, dessinée par Whelan et représentant une bête urbaine immonde.

– Bonjour, Kassandre, sois la bienvenue aux *Vele*.

La voix métallique sort d'une petite boîte greffée à la base de son cou.

C'est si étrange que je ne trouve rien à répondre.

Le père de Georges continue à avancer et chaque tour de roue rend les détails de son corps plus présents. Je voudrais qu'il s'arrête, qu'il cesse de m'infliger sa vision répugnante, mais je n'arrive pas à baisser les yeux.

C'est encore pire de près.

Son crâne, où s'accrochent quelques touffes de cheveux gris, est couvert de plaques rougeâtres et de grosses veines palpitantes… C'est du goregrind digne de Carcass, pourtant la seule chanson qui me vient à l'esprit c'est « Fous ta cagoule »… et c'est si con que je me mets à sourire.

– Ne t'inquiète pas Kassandre, j'ai l'habitude que les gens m'observent comme une bête de foire… même si ma position au sein de la Camorra a fait passer cette envie à plus d'un, ajoute-t-il avec un sourire déformé qui me fait perdre le mien.

Il se tait, attendant probablement que je lui réponde, mais comme je ne le fais pas, il enchaîne.

– Je n'ai pas toujours été un monstre, Kassandre. Ce que tu vois est le résultat d'une sclérose latérale amyotrophique, également appelée maladie de Charcot, et de quelques autres maladies rares astucieusement combinées par notre ennemi pour m'amoindrir. Il a fallu deux ans et un nombre incalculable de « tests » aux Enfants d'Enoch pour arriver au résultat que tu as sous les yeux.

– Et comment ça se fait que vous soyez toujours en vie ?

– Comme tu as pu le constater avec Carlo, l'homme que vous avez rencontré en Suisse et que vous appelez « la Chose », tuer l'un des nôtres n'est pas si facile ; sans ma capacité à influencer mes fonctions vitales je serais effectivement mort depuis longtemps. Malheureusement, mon pouvoir est très amoindri et c'est d'ailleurs ce que cherchait ton père en faisant de moi le sous-homme que tu vois aujourd'hui. Il cherchait un moyen de contrôler nos particularités pour pouvoir les manipuler à sa guise.

L'infirme balance son speech tranquillement, comme si tout ça était super normal, mais une info encore plus débile que les autres m'oblige à réagir.

– Attendez deux secondes... MON père ? Karl Báthory de Kapolna ? C'est LUI qui vous a fait ça ? Vous devez vous tromper de mec !

Je suis certaine qu'il y a une erreur mais Don Camponi insiste, répète le nom de mon père, parle de sa clinique suisse ultra privée, donne des détails que peu de gens connaissent...

Je lui coupe la parole.

– OK, mon père est un sombre connard capitaliste qui exploite la misère du monde et s'enrichit un peu plus à chaque épidémie, mais de là à en faire un tortionnaire confondant les humains avec des souris blanches… vous délirez à plein tube !

Mais le père de Georges refuse de lâcher le morceau.

– Oui, Kassandre. Karl Báthory de Kapolna. C'est bien ton père qui m'a enlevé en même temps que la mère de Georges il y a vingt ans, ton père qui était alors notre ami et qui nous a trahis. Je me doute que tu ne vois en lui que le grand philanthrope de l'Unicef, l'organisateur de campagnes de vaccination pour les enfants du monde entier. Mais ces vaccins, Kassandre, ne sont là que pour lui permettre de vérifier le sang d'un maximum de personnes et, parfois, de trouver ce qu'il recherche.

– Mais il recherche quoi ?

– Nous, Kassandre, les porteurs de gènes K… mais surtout les Génophores, car il sait que le moment est enfin arrivé, que la science a fait suffisamment de progrès pour LE recréer.

Je ne comprends rien à ce qu'il me raconte et je vais lui demander de m'expliquer qui est ce « le » que mon père chercherait à recréer quand d'un mouvement du doigt sur la télécommande de son fauteuil Don Camponi s'éloigne de moi.

Je le vois reculer avant de pivoter et de rouler vers un angle du salon.

Ses mouvements sont d'une lenteur exaspérante. J'en profite pour consulter Georges du regard mais celui-ci hausse les épaules ; il a l'air aussi surpris que moi et me fait signe d'attendre.

La cible de Don Camponi est un immense tableau représentant saint Georges terrassant le dragon.

L'œuvre, monumentale, est d'excellente facture et me rappelle celle de Rubens que j'avais admirée lors d'une visite au musée du Prado. D'ailleurs, plus je la regarde, plus je me dis qu'elle lui ressemble furieusement.

Un Rubens ? En plein cœur de ce quartier pourri dans l'appart d'un mafieux ? C'est pas urgent mais j'aimerais bien savoir et me penche vers Georges pour l'interroger.

– Dis donc, c'est quoi ce tableau ?

Il hausse un sourcil surpris mais me murmure tout de même une réponse.

– Saint Georges tuant un dragon, c'est une légende du…

– Non, je sais ça ! L'auteur, le peintre, c'est qui ?

Le deuxième sourcil rejoint le premier.

– Qu'est-ce que ça peut faire ? Tu veux l'acheter ? Je te préviens ça m'étonnerait qu'il te le vende, il y tient énormément, l'autre jour il m'en a parlé pendant une heure. Comme quoi il avait été peint il y a quatre siècles pour symboliser le rôle de notre famille et tout un tas d'autres bla-bla mystiques.

Quatre siècles, ça semble confirmer le Rubens, mais ce n'est pas le plus intéressant.

– Mais quel rôle ? T'as pas demandé.

Georges me regarde de travers.

– Évidemment que si, mais il refusait de répondre tant que je n'étais pas allé te chercher. Alors peut-être que si tu te taisais deux secondes on pourrait obtenir une réponse ! conclut-il en se levant pour rejoindre son père.

Je me lève à mon tour et le rattrape au pied du tableau.

Le vieux fait pivoter son fauteuil et tend le moignon noueux qui lui sert de bras vers le dragon cloué au sol.

– Quand je parle de le recréer, je parle de lui bien sûr ! Le Maître, notre maître à tous, le père des Génophores, l'aïeul de la génération K ; celui dont le retour fera de la terre un paradis pour ses enfants ! Ton père, cet impie, pense qu'il n'existe pas et que la science peut suffire à le recréer mais moi, moi je sais que le Maître existe, qu'il n'est pas une légende, qu'il nous attend quelque part et que grâce à vous je pourrai le trouver !

Il termine sa phrase dans un coassement exalté qui me donnerait envie de rire si son regard fiévreux ne m'indiquait avec certitude que ce mec est un taré de première et que venir ici était une mauvaise idée…

– Alors, fille de Karl, tu dois choisir : es-tu avec nous ou contre nous ?

La menace dans sa phrase est lourde et je ne sais pas quoi répondre…

Georges me prend la main et la serre avec force. Quelque chose ne va pas. Sa bête noire s'ébroue avec violence.

Danger, je suis en danger.

– Nous sommes avec vous, père, vous ne devez pas en douter, balance Georges d'une voix forte sans me consulter.

Il parle à ma place mais, moi qui n'ai jamais laissé personne me dicter ma conduite, je ne réagis pas. Je le laisse faire car je sens que la bête noire qui est en lui panique.

Quelque chose ne va pas.

Don Camponi avance son fauteuil, tend son bras vers moi, mais au moment où il va me toucher Georges me tire en arrière.

– Père, je vous assure que…

– Laisse parler la fille ! aboie l'infirme en me faisant signe de m'approcher.

Les doigts de Georges écrasent les miens. Sa bête noire est de plus en plus affolée, je la sens qui gratte dans mon esprit. Elle essaie de me dire quelque chose… je vois des mots s'inscrire dans ma tête. C'est une mise en garde :

Ne le laisse pas te toucher !

Cette nuit, pendant notre long trajet vers l'Italie, Georges m'a parlé du don de son père. Je sais de quoi il a peur, mais il a tort.

Si je ne laisse pas Don Camponi fouiller dans mon esprit, il n'aura pas confiance en nous et nous n'aurons jamais la possibilité de nous échapper.

Je m'avance vers lui et, malgré la frayeur de Georges, je saisis la main que me tend l'infirme sans hésiter.

Il est fort.

Je le sens pénétrer mon esprit, y rechercher la vérité mais je suis prête.

Je sais exactement quoi faire : je me concentre sur ma haine de Père, sur ses brimades, son regard de dégoût quand ses yeux se posent sur moi, moi son enfant unique qu'il pensait dénuée de tout pouvoir.

Don Camponi est fort mais, enveloppée dans ma haine, je le suis aussi.

Je ne lui montre que ce que je souhaite qu'il voie, avant de porter sa main à mes lèvres pour l'embrasser.

Mes lèvres ont bougé toutes seules et, quand je relâche sa main et me retourne vers Georges, le soupir que pousse son dragon dans ma tête est immense.

Le mafieux ne dit rien, mais le sourire satisfait qui s'inscrit sur son visage me prouve que j'ai fait le bon choix.

Il m'a crue.

Nous sommes sauvés... enfin, pour le moment.

Georges

10 mai
Naples
Quartier de Scampia

Maintenant c'est clair : mon père est fou et j'ai eu tort de nous ramener ici.

Il tressaute sur son fauteuil devant sa peinture de saint Georges en couinant que le dragon est notre maître, que la terre doit nous appartenir, à nous, ses enfants... et tout un tas d'autres âneries mystiques délirantes.

Il est tellement dans son truc qu'il en bave, et j'en rirais presque si je ne savais pas à quel point cet homme est dangereux.

Il parle, il parle, et ça me fait le même effet que quand j'étais en classe. Je décroche, mon esprit papillonne et quand mon regard se pose sur la une d'un journal abandonné sur la table basse je ne peux pas m'empêcher de la parcourir discrètement. Mais ce n'est pas franchement plus gai que les délires de mon père.

Ça parle du Vésuve et d'un genre de « supervolcan » détecté sous le cratère déjà connu.

L'interviewé, un superponte avec un titre à coucher dehors, a l'air très inquiet :

« Si ce supervolcan se réveille, son éruption pourra provoquer des effets catastrophiques, comparables à ceux de la chute de la météorite ayant provoqué la disparition des dinosaures il y a 65 millions d'années. Or, depuis quatre mois l'activité du Vésuve est de plus en plus perceptible mais personne ne prend mes prévisions au sérieux ! Avec la densité de population dans la région la moindre éruption de ce supervolcan, aussi minime soit-elle, pourrait entraîner la mort de millions de personnes. C'est pourquoi ce volcan... »

Une tasse posée sur le journal m'empêche de lire la suite et je me reconnecte sur ce qui se passe autour de moi.

Mon père continue son délire.

Jarod n'est pas revenu.

Quant à Kassandre... elle a l'air ailleurs, perdue dans ses pensées.

Je ne peux pas la laisser comme ça. Il faut qu'on parle, qu'on décide de ce que nous voulons faire.

– Don Camponi ?

Mon père se tait enfin et me fait signe de parler.

– Je crois que toutes ces révélations ça fait beaucoup pour Kassandre, il faudrait la laisser se reposer un moment avant de continuer...

Immédiatement, la princesse acquiesce.

Mon père n'a pas l'air ravi, mais avec la tête de déterrée qu'affiche Kassandre ma suggestion est plus que crédible et il se décide à appeler l'albinos.

J'ai dû cligner des paupières, car Jarod est là avant même que son nom ait fini de rebondir sur les murs dorés. Encore une fois je ne l'ai pas vu arriver.

Debout dans l'embrasure d'une petite porte, il nous fait signe de le suivre et nous nous engageons dans le couloir lépreux qui donne sur le reste de l'étage.

Kassandre serre ma main avec force.

Elle ne l'a pas lâchée depuis que ma bête noire a réussi à parler dans sa tête… même si « parler » n'est pas vraiment le terme pour ce que j'ai fait. C'est venu instinctivement ; il fallait que je lui passe un message et, d'elle-même, ma sombre amie s'est transformée en facteur. D'ailleurs, si cette habitude se confirme, il faudra que je songe à l'appeler autrement : ma bête jaune ? Georg@mabête.fr ? Cerveauexpress ?

Voilà, je me mets à débloquer moi aussi, c'est bien la preuve que je suis largué.

Kassandre me suit en automatique en jetant des regards dans tous les coins. Sa tête a l'air montée sur ressorts et ce serait presque amusant si je ne comprenais pas parfaitement ce qu'elle ressent : je devais avoir la même tête quand Jarod m'a fait découvrir l'endroit à mon arrivée.

Nous sommes au cœur des locaux de la Camorra, un genre de siège social du crime, et je me doute que la princesse n'a pas trop l'habitude de ce type d'endroit.

Don Camponi a investi la totalité du dernier étage de l'immeuble pour le réaménager à sa guise. Ce ne sont plus des appartements mais un dédale de pièces aux fonctions bien définies reliées entre elles par des couloirs sombres.

Nous traversons deux laboratoires, un stock d'armes, une pièce remplie d'ordinateurs et croisons des dizaines d'hommes semblant directement sortis d'un remake bas de gamme d'un film de Scorsese.

C'est la mafia version cheveux longs dans la nuque ou boule à zéro, survêt à bandes, baskets fluo ou jean slim et cuir cintré. Seuls points communs : des regards de glace et des flingues en évidence.

Mon détour par la case prison m'a appris à distinguer les requins des frimeurs et ici c'est le grand bain. Ces mecs ont tous passé l'épreuve du sang ; ils sont dangereux.

Arrivés au bout d'un long couloir, nous nous arrêtons enfin.

– Vous pouvez vous installer ici. Vos chambres sont séparées mais il faudra partager la salle de bains, nous explique Jarod en désignant deux portes qui se font face au fond du couloir.

Kassandre émerge de son silence… et comme prévu c'est pour dire une ânerie.

– Et si on veut manger quelque chose y a un room service ?

Jarod grimace ; je constate avec plaisir que le talent d'emmerdeuse de Kassandre ne fait pas effet que sur moi.

– Non, mademoiselle, ce n'est pas un hôtel… mais vous avez une cuisine à votre disposition dans le deuxième couloir sur votre gauche. Nous avons fait monter vos affaires alors profitez-en pour vous reposer et vous changer. Une opération est prévue ce soir pour tenter de récupérer une autre Génophore et Don Camponi souhaite que vous y participiez tous les deux. Je passerai vous chercher dans quelques heures, conclut-il en direction de Kassandre avant de me demander de le rejoindre dans son bureau… et de s'éloigner à grands pas sans attendre ma réponse.

L'albinos a à peine franchi l'angle du couloir que Kassandre se jette sur moi en beuglant.

– Non mais c'est quoi ce délire ?! Tu ne m'avais pas dit que ton père se prenait pour un prophète ! Et le mien de père, qu'est-ce qu'il vient foutre dans cette histoire ? Tu étais au courant ? Pourquoi tu ne m'as pas prévenue ?

En chemin, j'ai repéré des caméras et je suis prêt à parier qu'au moins un des mecs plantés devant les écrans de contrôle a été chargé de nous surveiller. Elle a beau avoir réussi à donner le change à Don Camponi, il faut qu'elle se taise ou je ne donne pas cher de notre peau.

– Kass…

– Non parce que, moi, si c'est ça…

– KA !!! Fais ce que t'a dit Jarod. Tu es fatiguée et tu n'as pas les idées claires. Alors, une douche, un dodo et on en reparle après.

– Oui, mais…

Elle est en boucle.

J'essaie de remettre en marche mon service de messagerie télépathique express pour la prévenir mais je n'y arrive pas et rien ne semble pouvoir l'arrêter.

Changement de tactique : je l'attrape par le bras et l'entraîne dans la chambre de droite.

Un seul coup d'œil me permet d'en faire le tour.

La chambre fait moins de neuf mètres carrés. Avec ses fenêtres murées, son papier peint miteux à la mode dans les années soixante-dix et son matelas posé sur le sol c'est loin d'être le grand luxe et je ne me fais pas d'illusions ; elle a beau être plus grande que la cellule dont je disposais en prison, entre les caméras, l'absence de fenêtre et les mecs armés dans les couloirs, nous sommes bien prisonniers.

Dans l'angle, un fauteuil défoncé supporte les quelques affaires que Kassandre avait récupérées dans sa malle avant que nous abandonnions la Rolls.

Au bout de mon bras, la princesse gigote tellement que je m'en débarrasse en l'envoyant valser sur le matelas.

— Maintenant ça suffit ! Écoute-moi !

Ma voix a claqué comme un fouet et elle se décide enfin à obéir.

Je lève les yeux au plafond.

La peinture écaillée se détache par endroits mais le plafonnier en forme de globe opaque est neuf et ressemble comme deux gouttes d'eau à ceux des parloirs de prison.

Aucun doute, on nous surveille.

Avant que cette idiote ouvre la bouche, je lui lance :

— Tu te prends pour une star de ciné ? C'est inutile, il n'y a pas de CAMÉRAS ici, alors arrête de te la jouer diva !

C'est super lourd mais, miracle, Kassandre suit mon regard vers le plafond et une étincelle de compréhension s'allume enfin au fond de ses prunelles.

Sa voix se fait toute douce.

– Désolée, Georges, tu as raison, je suis crevée et je dis n'importe quoi. Je vais me reposer pendant que tu vas voir Jarod. On en reparle tout à l'heure, ajoute-t-elle toute gentille en me faisant signe de la laisser.

J'ai un temps d'arrêt.

La docilité, chez elle, ça sonne encore plus faux que de la philo dans la bouche de Vin Diesel… d'ailleurs il lui faut moins de deux secondes pour que le naturel revienne au galop.

– Allez ! Dégage, je te dis, tout va bien, tu peux aller à ton rendez-vous réservé aux mecs, grogne-t-elle en me poussant dans le couloir.

Dans mon dos, sa porte claque en faisant trembler les murs.

Voilà, je suis rassuré.

Ça, c'est plus elle !

journal de Mina

Date inconnue

Je n'arrive pas à dormir. Le moindre grincement de parquet, le plus petit souffle d'air me font sursauter.

Il y a encore quelques heures j'enrageais d'être enfermée à clé dans ma chambre, mais maintenant, je donnerais tout pour être certaine que ma porte ne s'ouvre pas. De toute façon comment dormir après ce que je viens de découvrir ? J'aurais dû écouter ma mère, venir ici était une erreur et maintenant je tremble pour elle. Pour moi, il est trop tard mais j'espère qu'elle, au moins, aura le temps de fuir.

Comme je regrette d'être partie sur un coup de tête sans lui avoir laissé le temps de s'expliquer !

Je sais qu'il rôde, je l'entends.

Tout à l'heure je suis même certaine d'avoir vu la poignée s'abaisser. Depuis, je l'ai coincée avec le dossier de la chaise mais je sais bien que c'est stupide ; comme si une porte fermée à clé et une chaise avaient la moindre chance de l'arrêter.

J'écris à la lueur d'une bougie, être dans la pénombre me rassure car cela me permet de voir la lumière qui s'infiltre sous la porte ; tant que ce trait reste plein c'est qu'il n'y a personne dans le couloir.

Je me raccroche à ce que je peux pour ne pas sombrer dans la folie. Un trait plein tout va bien, deux ombres... je pense que je serais capable de sauter par la fenêtre, même si je suis au troisième étage. Tout plutôt que de croiser à nouveau ses yeux.

Il faut que je me force à récapituler ce qui s'est passé tout à l'heure, que je le note pour ne rien oublier. Peut-être qu'en les couchant sur le papier mes idées deviendront plus claires et que je saurai, enfin, ce que je dois faire.

Juste après ma minable tentative de fuite, grand-mère m'a entraînée à sa suite dans le salon. Un homme nous y attendait. Debout devant la cheminée, il contemplait l'immense résurrection de Lazare décorant le trumeau et je n'ai d'abord vu que son dos, sa nuque et le reflet d'acier de ses cheveux.

« Karl, voici Mina, ma petite-fille, l'enfant que Carlo a conçue après le début de sa transformation », m'a présentée Khiara en me poussant devant elle avec fierté.

L'homme s'est retourné lentement, mais pas assez pour avoir le temps de dissimuler sa surprise. Son verre lui a échappé des mains, s'est écrasé sur le marbre de la cheminée dans un claquement sec et les flammes excitées par l'alcool ont bondi en avant.

Ouverte sur un cri muet, sa bouche avait tiré les traits de son visage aussi sûrement qu'un croc d'écorcheur ; paupières écarquillées, pupilles dilatées, sourcils, lèvres, front, n'étaient plus qu'une unique crispation tendue vers ce qu'il n'attendait pas : moi !

Je suis restée figée, mais il n'a fallu qu'un battement de cœur à Karl Báthory de Kapolna pour se reprendre.

« Désolé pour le verre, Khiara, mais je ne m'attendais pas à ce qu'une de nos employées soit ta petite-fille. »

Employée. Tout son mépris condensé en un seul mot. Pire qu'une gifle.

« Tu es certaine que c'est *elle*, Khiara ? »

J'étais là, debout devant lui, mais je n'existais pas.

Tout en questionnant ma grand-mère il m'observait comme on regarde un objet de valeur d'origine douteuse, une voiture de luxe boueuse ou un animal de race dont on hésite sur le pedigree. Un regard intrusif, avide, que je sens encore sur moi quand j'écris ces lignes.

Karl Báthory de Kapolna !

J'étais tellement choquée que j'avais du mal à me concentrer sur leur conversation. Ils parlaient de moi ; Khiara certifiant que j'étais bien « celle qu'ils attendaient », le père de Ka s'inquiétant de mes « capacités », voulant « une preuve » et déclenchant un rire aigu chez ma grand-mère.

« Quelle preuve ? Tu es là, Karl, c'est donc que le sang que je t'ai envoyé, son sang, porte la marque... sinon pourquoi te serais-tu déplacé en personne ? »

Ma grand-mère croyait lui clouer le bec, mais la réponse de Karl la fit blêmir : « Après le ratage inqualifiable de ton fils Carlo en Suisse, tu pensais peut-être que j'allais vous confier une mission aussi importante que celle de préserver le sang d'une potentielle Génophore de niveau six ? »

Je ne comprenais rien à ce qu'ils racontaient.

Que fichait donc le père de Ka ici ? Comment connaissait-il ma grand-mère ? Et pourquoi parlaient-ils de mes « capacités » ? Savaient-ils pour mon pouvoir ? Qui leur avait dit ? Maman ?

Et pourquoi Karl parlait-il du fils de Khiara au présent ? Carlo, mon père, n'était-il pas censé avoir disparu il y a des années ? Et si c'était bien de lui dont il parlait, pourquoi ma grand-mère ne m'avait-elle pas prévenue qu'elle savait où il était ?

Et cette histoire de sang, de mon sang qui aurait été envoyé au père de Ka et serait porteur d'une « marque »… qu'est-ce que cela voulait dire exactement ?

C'est en pensant au sang que tout à coup un détail m'est revenu.

Ma main a glissé dans l'épaisseur de mes boucles pour saisir et caresser le lobe de mon oreille droite. La petite croûte que j'avais grattée au sortir de ma première nuit ici n'était plus là mais je sentais encore le léger renflement de cette infime blessure en train de cicatriser. Sur le coup j'avais pensé à un moustique, mais je comprenais maintenant que la sale bête qui m'avait pris mon sang devait être nettement plus grosse…

La colère a remplacé l'incompréhension. J'avais été droguée, j'étais prisonnière, quelqu'un m'avait pris mon sang dans mon sommeil. Quoi d'autre ? Qui m'avait déshabillée, lavée, peignée ?

Chaque matin j'avais supposé que c'était Esmée... mais était-il possible que... que quelqu'un d'autre...

Je ne les écoutais plus. Plongée dans les souvenirs de mes cauchemars, je me rappelai tout à coup les mains posées sur mon corps, des mains aux longs ongles pointus glissant sur chaque centimètre de ma peau pendant qu'une voix murmurait à mon oreille : « À moi, tu es à moi, ma fille, ma sssi belle fille, bientôt à moi. »

Une voix profonde, caverneuse ; une voix sifflant dans mon cou, s'immisçant dans mon esprit pendant que la pointe humide d'une langue effleurait ma gorge, lapant la sueur égarée dans le creuset de ma clavicule pour me... pour me goûter !

Je me mentais depuis mon arrivée. Je savais ce qui s'était passé cette nuit-là, je savais à qui était cette voix que j'entendais dans mes rêves. Je savais aussi que le papier blanc plié en huit que j'avais trouvé avec la médaille, celui qui ressemblait tant à ceux posés sur ma coiffeuse et dont l'écriture m'avait semblé familière n'était pas arrivé là tout seul. Cette écriture, c'était la mienne ! C'était moi qui avais écrit ce mot « FUIS ! ».

Je m'étais demandé de fuir parce que je savais ! Je savais que l'homme aux yeux rouges n'était pas un cauchemar ! Il était réel, il me voulait et quelque chose en moi le savait.

Quand j'ai émergé de mes souvenirs, le père de Ka et ma grand-mère ne parlaient plus, ils ne bougeaient pas non plus, comme figés devant un tigre prêt à charger, et la peur dans leurs yeux m'a fait réaliser que quelque chose avait changé dans le salon.

Un grondement sourd résonnait dans la pièce, comme le feulement d'un animal, un ronronnement dangereux.

J'avais déjà entendu ce bruit… et j'avais déjà lu cette terreur au fond d'autres yeux : ceux de ma mère la première fois que ma voix était apparue.

Sauf que Khiara et Karl n'étaient pas ma mère. Je n'avais aucune raison de les épargner et le pouvoir en moi était si fort.

Je n'ai pas résisté, j'ai laissé la digue se briser, la voix sortir de moi pour leur hurler toutes les questions qui m'obsédaient. Ma voix de sirène.

Khiara s'est effondrée tout de suite mais le père de Ka a lutté.

Il était fort. J'ai pu jouer un peu avec lui.

C'était… drôle.

Les mains pressées contre ses oreilles il s'est recroquevillé peu à peu à mes pieds comme une huître sous un jet de citron et son nez a commencé à couler. Son précieux sang gouttait délicatement sur le marbre rose en laissant une traînée pourpre sur son menton parfaitement rasé. J'étais plus forte que lui et il a fini par tout me raconter…

Le père de Ka… quand j'y repense, j'ai toujours du mal à y croire (lui aussi d'ailleurs) ; des années qu'il cherchait ses fameux « Génophores » sans savoir que sa femme en avait caché deux juste sous son nez !

Je ne comprends toujours pas d'où maman et la mère de Ka se connaissaient, mais plus j'y pense plus je me dis qu'il est impossible que Karolina ait choisi maman comme nourrice pour sa fille par hasard. Il y a un lien entre elles, c'est obligatoire, et j'ai bien vu dans les yeux du père de Ka qu'il en était arrivé à la même conclusion.

Malheureusement, concentrée sur Karl je n'ai pas entendu mon père s'approcher et quand sa main s'est plaquée sur ma bouche pour me faire taire il était trop tard.

Je ne pouvais pas le voir mais je n'avais aucun doute sur son identité : son odeur, les battements de mon cœur s'emballant tandis que son bras me serrait contre lui, la texture râpeuse de sa langue dans mon cou, son nez respirant mes cheveux et sa voix... mon Dieu, sa voix ! La même que la mienne mais si ténébreuse, si vénéneuse !

Ka, mon Dieu, Ka ! Si tu savais ce que j'ai appris ! Si tu savais qui nous sommes et ce que nous avons le pouvoir de réaliser !

Georges

12 mai
Naples
Quartier de Scampia

Le bureau de Jarod est beaucoup plus sobrement meublé que le salon clinquant de mon père. Ici, entre un mur surchargé de livres et la baie vitrée surplombant la ville, il y a juste un grand bureau de bois, un canapé de cuir et une table basse recouverte d'une nappe blanche où attend un repas pour une personne.

Jarod est seul.

Assis derrière son bureau, il lève ses étranges yeux d'albinos sur moi à mon arrivée et me désigne d'un geste l'assiette qui fume sur la table basse.

J'ai des dizaines de questions en tête, mais avant que j'aie le temps de les lui poser Jarod m'ordonne :

– Mange, Georges. L'homme à l'estomac vide n'a pas d'oreilles... et encore moins de cerveau. Alors profite de ton repas et laisse-moi une chance de t'expliquer simplement ce que nous sommes avant de tout compliquer par tes questions.

Les *spaghetti allo scoglio* qui sont dans l'assiette dégagent un parfum d'ail et de mer si puissant que mon estomac vide gargouille bruyamment.

Je me dis que mes questions peuvent bien attendre cinq minutes, me pose sur le canapé et attaque les petits coquillages brûlants sans rechigner pendant que Jarod commence à me raconter sa vie.

– Je suis né dans ce quartier, aux *Vele*. C'est un quartier dur, avec sa hiérarchie, son code d'honneur. Ici, ne pas respecter les règles, être différent, c'est une condamnation à mort, alors je te laisse imaginer l'enfance que j'ai vécue. Albinos et pourvu de talents particuliers… Si ton père n'avait pas reconnu en moi un de ses semblables et ne m'avait pas placé sous sa protection, je n'aurais pas survécu. C'est lui qui a payé mes études, lui qui m'a permis d'entrer chez Biomedicare dans les laboratoires du père de ton amie et, depuis, je paye ma dette à son égard en lui apportant secrètement mon soutien.

Je ne l'ai pas vu quitter sa chaise, pourtant je le découvre à côté de moi en train de verser le contenu d'un flacon à peine coloré dans mon verre. La vitesse à laquelle il se déplace est stupéfiante et je commence à comprendre quel peut être son « don ».

– *Trebbiano d'Abruzzo* 2007, produit par Valentini. Un délice, dit-il avant de se servir lui aussi.

Je n'y connais pas grand-chose en vins, mais je me vois mal réclamer une bière.

Je prends le verre qu'il me tend et goûte : c'est frais, sec, parfumé. Je ne m'attendais pas à ça.

— Pas mauvais pour un truc sans mousse, je constate en reposant le fragile gobelet.

Jarod sourit, lève son verre dans ma direction et boit à son tour une gorgée avant de poursuivre.

— Contrairement à ce que tu as dû croire toutes ces années, tu n'es pas seul ; les hommes et les femmes de notre espèce existent depuis l'aube de l'humanité. Qu'on nous traite de sorciers, de monstres ou de magiciens, nous sommes là depuis toujours et nos talents sont à la base de tous les mythes existants.

Je cligne à peine des yeux et retrouve Jarod devant la baie vitrée ; il boit une autre gorgée de vin, me fait signe de continuer à manger, attend que j'aie avalé quelques bouchées de mon assiettée de pâtes et reprend son exposé.

— Évidemment, dans un XXIe siècle où la science est toute-puissante, les hommes ont trouvé à nos pouvoirs des explications beaucoup plus rationnelles. Après avoir été considérés pendant des siècles comme des démons, voilà que nous sommes devenus des « anomalies génétiques » ou des « troubles psychologiques »… mais la vérité est ailleurs, Georges.

Il est sérieux, mais j'ai du mal à me retenir de sourire et commence même à penser que Jarod doit avoir une bouteille ou deux d'avance sur moi.

— Pourquoi souris-tu, Georges ? Tu me prends pour un cinglé, n'est-ce pas ?

Pas besoin de mots, mon visage parle pour moi.

Le claquement sec que fait son verre en se brisant sur son bureau résonne comme un coup de fouet. Le vin se répand en une large flaque sur ses papiers mais il est déjà à quatre mètres de là en train de fouiller dans les rayonnages de sa bibliothèque.

Je ne comprends pas comment il peut se déplacer aussi vite.

Un battement de cœur et il est à nouveau à côté de moi et me balance un vieux livre relié de cuir sur les genoux.

– Lis !

Je retourne le bouquin avant de l'ouvrir.

Il n'y a aucun titre sur la couverture mais dès les premières lignes je sais à quoi j'ai affaire.

J'ai passé une partie de mon enfance dans un orphelinat tenu par des prêtres. C'est probablement de cette époque que je tiens ma bonne connaissance de ce type de bouquins, vu que c'est dans l'un d'eux que j'ai appris à lire.

– Une bible ? Qu'est-ce que ça vient faire ici ?

Mais Jarod se contente de répéter :

– Lis !

Je tourne les pages ; si c'est une bible, elle est très différente de celle que je connais. À droite il y a de magnifiques illustrations et des textes manuscrits dans différentes langues que je ne connais pas ; à gauche sont rédigées des traductions en français, en anglais et en italien.

Il me faut une dizaine de minutes pour comprendre que ce n'est pas vraiment une bible mais une compilation de textes religieux.

Au-dessus de chacun d'eux, une vignette précise leur date et leur origine. Les premiers font partie des manuscrits de la mer Morte et dateraient du IIIe siècle avant notre ère. Pour les autres, ils s'étalent sur plusieurs siècles. Il y a des textes hébreux du Iᵉʳ au IIIᵉ siècle, des extraits d'une bible éthiopienne rédigée à la fin du Vᵉ siècle et des textes grecs du IXᵉ siècle.

Je prends le temps de feuilleter le livre et d'en lire des extraits au hasard.

Toutes les pages mentionnent Enoch, un descendant de Noé, et rapportent une histoire d'anges qui se seraient accouplés avec des humaines et auraient transmis certains de leurs dons à leurs enfants... Bref, un gros ramassis de bêtises.

Je claque la couverture et repose le bouquin sur la table.

— Écoute, Jarod, si tu as une révélation à me faire, il va falloir résumer, parce que la lecture biblique et les cours d'histoire, j'ai déjà donné !

Les fines lignes qui lui servent de lèvres sont si serrées qu'on ne les distingue même plus. L'albinos n'a pas l'habitude qu'on le contredise, mais comme je ne baisse pas les yeux il finit par céder.

— Évidemment, comme pour tout mythe, il ne faut pas prendre le récit d'Enoch au premier degré. C'est une légende, mais nul ne peut nier, surtout pas toi, que certains humains développent depuis toujours des capacités hors du commun : télépathie, voyance, pouvoir de guérison, charisme magnétique, intelligence exceptionnelle, longévité, contact particulier avec les animaux, hypnotisme, télékinésie... la liste est tellement longue qu'il est impossible de la dresser en quelques minutes.

Tout en parlant, Jarod fait glisser son index sur le rebord ébréché de son verre.

Son doigt laisse une longue traînée pourpre sur la paroi courbe pendant qu'un crissement s'élève.

Le sang fait chanter le calice ; un grincement strident qui me transperce les tympans et fait siffler ma bête noire.

Je serre les poings.

– Et alors ? Quel est le rapport entre nos particularités et l'histoire racontée par Enoch ? dis-je en me levant.

Jarod stoppe son manège et, à mon grand soulagement, le crissement désagréable cesse enfin.

– Tous les mythes détiennent une part de vérité, Georges ; pendant des siècles personne n'a su d'où provenaient nos pouvoirs étranges et de nombreuses légendes se sont développées pour les expliquer, mais au siècle dernier, avec les progrès scientifiques, certains ont trouvé quelque chose. Quelque chose qui ne pouvait être révélé à tous et dont le secret a été jalousement préservé depuis ce jour par les Enfants d'Enoch.

Son exaltation me rappelle le curé de l'orphelinat quand il nous décrivait les tourments de l'enfer... un mauvais souvenir.

– Juste, pour être sûr, vous croyez vraiment à ces âneries d'anges déchus et de Maître qui reviendrait à la vie pour offrir le monde à ses enfants ?

Ça le coupe dans son délire mais, au lieu de râler, il se contente de hausser les épaules.

– Ton père y croit mais moi, évidemment que non ; je te rappelle que je suis un scientifique. J'essaie juste de t'expliquer les origines de notre histoire... mais si tu préfères je peux sauter directement à ce qui te concerne aujourd'hui ?

— Je préférerais, ouais !

— Alors viens avec moi.

le Maître

10 mai
Vieux Naples
Église Santa Maria la Nova

L'odeur du sang me réveille et me tire de mes rêves sans fin.

Ce parfum de fer, le même que celui des sabres et des chaînes, celui des batailles et des conquêtes, le sang et son inimitable fragrance de vie.

Je connais ce sang.

Il n'est pas exactement le mien et pourtant il possède en lui un souvenir fugace, comme une lointaine trace d'un de mes derniers passages sur terre.

– Tată, treziți-vă, e timpul !

La voix douce résonne sur les pierres de la crypte, mais je ne reconnais ni cette langue ni cette intonation.

Tată… père, ce mot veut dire père.

Mais le père de qui suis-je donc censé être, alors que je suis le père de toute vie ?

– Tată, treziți-vă, e timpul !

La voix insiste, se fait pressante et je sens enfin la saveur sucrée du précieux liquide se déposer sur la mince ligne de ce qui reste de mes lèvres...

J'en veux plus, alors je hume l'air à la recherche de l'odeur précieuse qui s'infiltre dans mes narines recroquevillées, perce ma gorge desséchée, envahit ma trachée avant de déplier les alvéoles de mes poumons.

Le sang me pénètre, réveille une à une mes papilles, irrigue le morceau de cuir raviné qui me sert de langue et peu à peu, comme des bulles légères remontant à la surface pour éclater au soleil, ma conscience frémit...

— Père, vous n'êtes plus en sécurité. Nos ennemis se rapprochent.

Je reconnais la voix qui résonne dans mes oreilles, c'est celle d'Enki, le troisième de mes Génophores, celui dont la mémoire ne s'efface jamais.

Comme toujours, il est le premier à venir à moi et je sais que Celle qui écoute est à ses côtés.

— Père, nous allons devoir partir, vous emmener loin d'ici le temps que les autres Génophores nous rejoignent. Ils ne sont pas loin, Celle qui écoute en est certaine, mais nous avons besoin de vous pour les appeler, pour que vous les conduisiez à nous.

La voix du troisième sang me berce.

Il est jeune, mais grâce à moi il possède une sagesse sans âge.

Il a la voix des protecteurs, la voix des errants qui me suivent depuis toujours. Mon peuple de gardiens sacrés. Les détenteurs du secret, les fidèles d'entre les fidèles, les persécutés, les bannis, les sans-terre.

Ceux pour qui je suis tout et sans qui je ne serais rien.

Lentement, sa voix s'infiltre dans ma conscience et le sang de l'offrande commence son œuvre.

Mon corps d'humain l'accepte avec bonheur ; c'est bien mon sang, le sang de la quadruple alliance et ça ne peut signifier qu'une chose : il est temps !

Je vois l'échelle hélicoïdale qui se dresse, barreau après barreau, tour de vis après tour de vis, et la douleur est la première sensation qui réapparaît.

Moi l'incréé je me reconstruis, je renais et pousse le hurlement qui enfanta jadis l'humanité.

Un quart du chemin vient d'être parcouru.

Georges

10 mai
Naples
Quartier de Scampia

Sans attendre que je finisse mon assiette Jarod tire une clé de sa poche, ouvre une petite porte située dans l'angle de son bureau et me fait signe de le suivre.

Le passage mène à un ascenseur privé qui nous conduit directement dans les sous-sols.

Je sais que nous n'avons pas quitté le quartier de Scampia mais j'ai l'impression d'avoir débarqué sur une autre planète. Ici, pas de mafieux, pas de dorures ni de peintures d'un autre âge. Nous sommes dans un laboratoire entièrement carrelé de blanc et rempli de machines ultra-modernes dont je ne connais pas l'usage.

Au milieu de la pièce immense où s'affairent tout un tas de types en blouses blanches qui ne nous jettent pas un coup d'œil se dresse une autre pièce plus petite : un cube de verre auquel on ne peut accéder que par un sas étanche.

C'est vers lui que nous nous dirigeons.

L'albinos tape un code à l'entrée du sas, referme derrière nous puis me tend une des combinaisons jaunes intégrales pendues au mur.

– Mets ça s'il te plaît.

Lui-même s'équipe sans un mot avant de reprendre ses explications pendant que je finis d'enfiler la mienne.

– La partie scientifique de cette histoire débute en 1849 quand Gregor Mendel, un jeune curé et botaniste catholique tombé gravement malade suite à une infection probablement contractée en pratiquant une autopsie, est sauvé par les pouvoirs d'un gamin tzigane. Dans son journal intime, Mendel raconte qu'agonisant il a vu cet enfant s'approcher de lui, ouvrir les veines de son poignet et le forcer à boire son sang. Le lendemain, totalement rétabli mais bouleversé dans ses croyances, Mendel débute les recherches sur l'hérédité biologique dont il tirera les trois lois qui sont encore aujourd'hui à la base de la génétique… et d'autres choses qui restent encore un secret jalousement gardé. Après sa mort, effrayée par les implications de ses découvertes, l'Église fera saisir et brûler la totalité de ses travaux, sans savoir que Mendel en avait envoyé une copie à son ami : le comte Báthory de Kapolna.

Je sursaute.

– Le père de Kassandre !

C'est au tour de Jarod de sourire.

– Son arrière-grand-père plutôt… Mais ce qui est important, c'est surtout que le comte, étant lui-même pourvu d'un don, comprend immédiatement ce que la découverte de Mendel peut lui apporter : le moyen de détecter ses semblables et de les regrouper pour former une élite supérieure aux simples mortels. N'oublie pas que, à la fin du XIXᵉ siècle, la noblesse n'a plus autant de pouvoir. Le nationalisme est en train d'envahir la pensée européenne et les théories raciales sont à la mode… Le comte ne fait qu'appliquer ces nouvelles idéologies à son objectif et à sa caste.

Je n'ai plus envie de rire. Les tarés de néonazis je les ai fréquentés de près et ce n'est rien de dire que je ne les supporte pas.

Certains vous expliquent le racisme avec des grands mots, mais moi je n'en ai qu'un : « abrutis », et ça me suffit pour les définir.

— Jarod, si tu es en train d'essayer de me dire que nous sommes des « surhommes » et que nous devons nous regrouper pour dominer le monde je t'arrête tout de suite. Le plan nazi à la sauce X-Men, ce n'est pas dans mes projets.

Mais Jarod éclate de rire.

— C'est vrai que, résumé comme ça, je comprends que tu t'inquiètes… mais nous ne sommes plus dans l'entre-deux-guerres et nos objectifs sont aujourd'hui très différents. Je te parle de science, de médecine, de génétique. Je te parle d'une possibilité de sauver l'humanité, pas de la détruire !

Il a l'air sûr de lui mais je suis loin d'être convaincu et lui demande de s'expliquer.

— En se basant sur les travaux de Mendel, le comte Báthory de Kapolna et ses successeurs ont dépensé des fortunes dans la recherche génétique et, plus précisément, celle concernant la thérapie génique. Ils ont découvert que tous ceux qui, comme nous, avaient un pouvoir, possédaient un patrimoine génétique commun pouvant remonter à un ancêtre unique. Un ancêtre qui aurait possédé tous ces pouvoirs à lui seul. Un ancêtre dont les gènes détiendraient des capacités thérapeutiques infinies. C'est ce patrimoine génétique unique, cet ADN premier, que les Enfants d'Enoch et nous cherchons à trouver… mais dans notre cas ce n'est pas pour dominer le monde mais pour le sauver, Georges ! Avec ce qu'il a subi à la suite des expérimentations menées sur lui par les Enfants d'Enoch, ton père est bien placé pour comprendre les malades. Il cherche le moyen de guérir, de retrouver sa vie d'avant et cet ADN premier serait la solution.

– Mais, si nous sommes si nombreux, pourquoi parler de quatre Génophores ? Et qu'est-ce que Kassandre et moi avons de différent de vous, de la Chose, ou même de mon père ? Nous avons tous des pouvoirs, alors qu'est-ce qui fait que Kassandre et moi sommes des Génophores et pas les autres ?

– C'est compliqué, mais je peux t'assurer que nous n'avons aucun doute sur ce que vous êtes, m'affirme-t-il en désignant un des murs du sas. Regarde ici, tu comprendras mieux.

Je me rapproche et lève la tête.

Sur ce mur, cinq panneaux sont accrochés côte à côte ; on dirait des vues de microbes prises au microscope.

Dessus, des espèces de petits bâtons sont reliés par paires numérotées de 1 à 23.

Jarod m'explique.

– Ces cinq tableaux sont des caryotypes. Le premier est celui d'un humain lambda, tu peux y voir les vingt-trois paires de chromosomes communes à 99 % de l'humanité. Le deuxième caryotype est le mien. Si tu observes la paire numéro 11, tu constateras qu'elle présente une différence avec celle du premier tableau…

Mes yeux sautent d'une paire 11 à l'autre et repèrent immédiatement ce qui change : sur celle de Jarod, un des bâtonnets n'en est pas un. Pourvu de trois branches, il a la forme d'un K.

– C'est quoi ce machin ?

– Ce « machin » est un chromosome mutant, les scientifiques diraient que c'est une anomalie mais nous l'appelons le chromosome K et nous le cachons au monde depuis que nous avons découvert son existence à la fin du XIXe siècle.

– C'est à cause de lui que tu es albinos ?

– Oui… mais c'est aussi grâce à lui que j'ai mon don, me répond-il en souriant. Regarde le troisième caryotype, c'est celui de l'homme que vous appelez la Chose mais qui s'appelle en réalité Carlo Caracciolo Di San Theodoro. Comme ton père, cet homme a subi des manipulations génétiques de la part des Enfants d'Enoch, à la différence notable que lui était consentant. Chez lui c'est trois paires qui ont été modifiées… et tu conviendras que son pouvoir est plus grand que le mien.

Pour l'avoir vu à l'œuvre en Suisse, je ne peux qu'acquiescer et me tourne avec curiosité vers les deux derniers panneaux.

Je ne sais pas à qui sont ces caryotypes, mais en les observant je me promets de tout faire pour ne jamais croiser leurs propriétaires.

Si Carlo était devenu fou avec trois malheureux changements, ici ce sont carrément six paires qui présentent le fameux chromosome K.

Les paires 7 à 12 pour le quatrième panneau, les six dernières pour le cinquième.

Je n'ose pas imaginer les cinglés.

– Et ils sont à qui ceux-là ? À Alien et Predator ?

Au moment où ces mots franchissent mes lèvres, mes yeux tombent sur les noms écrits en petit en bas des deux tableaux et je regrette déjà de les avoir prononcés.

Georges d'Épailly, Kassandre Báthory de Kapolna…

Voilà ce qui est écrit en bas des caryotypes aux six chromosomes K.

Apprendre que je ne suis pas tout à fait humain devrait me choquer, mais c'est finalement un soulagement. J'ai enfin l'explication de ma différence, la certitude que je ne suis pas fou et je presse Jarod de m'en dire plus.

Cette fois-ci, il s'exécute sans rechigner et pointe son doigt sur l'étrange lettre à l'origine de tous mes problèmes.

– Ce bâtonnet en forme de K que tu vois sur ton caryotype est un motif récurrent des chromosomes de notre espèce. C'est lui qui explique que notre génome soit différent de celui des autres humains. Ils sont plus ou moins nombreux et peuvent changer de paire, mais ce qui est certain c'est que plus le pouvoir de la personne testée est fort, plus ce chromosome K est présent… Ce que nous avons trouvé chez Kassandre et toi, cette réunion de six chromosomes K chez une seule personne, c'est… c'est juste incroyable et…

Il va ajouter quelque chose quand il se tait brusquement, comme s'il prenait conscience qu'il m'en avait trop dit.

Je le relance.

– Et ?

– … et c'est pour cela que vous êtes si importants. Regarde, ajoute-t-il en désignant nos caryotypes, vos K ne sont pas placés sur les mêmes paires chromosomiques ; les paires 7 à 12 pour ton amie et 18 à 23 pour toi. C'est comme si vous vous complétiez, comme si vous étiez deux des quatre morceaux du motif originel, celui d'un génome comportant vingt-trois chromosomes K, le génome dont seraient issus tous les pouvoirs qui se sont ensuite dilués dans le sang de l'humanité au fil des générations… l'origine de la génération K.

Jarod me regarde avec exaltation. Je comprends les mots qu'il utilise mais ils ont du mal à faire sens pour moi.

Je serais, Kassandre et moi serions deux des pièces d'un puzzle génétique ?

Elle, moi, la fille que nous devons aller chercher ce soir et un autre que nous ne connaissons pas aurions le pouvoir en combinant nos ADN de recréer un machin pouvant guérir l'humanité du sida, du cancer et de toutes les autres saletés imaginables ?! Un ADN à l'origine d'un peuple ayant évolué en parallèle de l'humanité ?

C'est tellement dingue que j'hésite à en rire et Jarod doit le sentir, car au lieu de continuer à essayer de me convaincre il fixe d'autorité un casque sur ma combinaison et appuie sur le bouton de commande de l'ouverture du sas.

– *Si tu veux une preuve, il faut me suivre*, murmure sa voix dans l'intercom de ma combinaison.

Le sifflement de la décompression est désagréable, mais je le suis sans hésiter dans le cube de verre.

À l'intérieur, il y a une vitrine emplie d'éprouvettes et une paillasse carrelée où repose un genre de grosse boîte en verre.

Jarod ouvre la vitrine, en sort précautionneusement deux éprouvettes qu'il dépose dans l'aquarium de verre avant de le refermer et d'enfiler ses mains dans les gants fixés sur ses parois.

Je me souviens que j'ai déjà vu ce genre de boîte à la télé, sauf qu'à l'époque, dans la boîte, il y avait un bébé prématuré qui devait être protégé des microbes de l'extérieur et que, ici, je pense que c'est plutôt nous que la boîte protège... même si je ne sais pas de quoi.

Saisissant des pipettes, l'albinos extrait une minuscule goutte de chaque éprouvette avant de les déposer chacune doucement sur une fine lame de verre à plus de vingt centimètres l'une de l'autre, puis retire ses mains de l'aquarium.

Rien ne se passe, mais il me fait signe de patienter.

Je me concentre sur les deux points rouges.

Une minute, puis deux et... quelque chose.

C'est imperceptible mais les gouttes... bougent.

C'est comme un frémissement, un trouble parcourant les surfaces bombées, qui tout à coup se mettent à avancer l'une vers l'autre jusqu'à ne plus composer qu'une énorme goutte qui s'élève de dix centimètres et se met à tourner lentement sur elle-même.

Ma bête noire cogne dans mon crâne comme jamais.

Nous connaissons ce sang.

Il est incomplet mais il est fort et il nous appelle.

Il a la voix de nos cauchemars, l'odeur des fleuves de sang et des batailles.

Nous sifflons de bonheur et la bulle nous entend.

Elle nous a reconnus.

Elle cesse de tourbillonner et se presse sur la vitre.

Elle veut nous rejoindre, se fondre en nous pour nous métamorphoser.

Nous le voulons aussi.

Nous abattons nos poings sur la vitre, qui se fendille sans se briser.

Encore une poussée et nous serons ensemble.

Nous sommes prêts depuis des siècles.

– NOOOOON !!!!!!!

Des flammes ont jailli du fond de l'aquarium et vaporisent la bulle de sang, de notre sang !

La douleur, immense, nous projette au sol.

L'albinos n'est plus avec nous. Il se tient debout derrière la vitre du sas, son doigt est encore posé sur un gros bouton rouge et nous comprenons.

Il vient d'activer les flammes, de détruire notre sang.

Derrière la vitre ses lèvres articulent un mot : « Désolé… »

Sa main appuie sur un deuxième bouton, et la douleur nous saisit.

journal de Mina

Date inconnue

J'ai découvert que les Caracciolo Di San Theodoro et les Báthory de Kapolna sont liés depuis des siècles. Avec d'autres familles ils ont créé le groupe des Enfants d'Enoch à la fin du XIXe siècle pour rassembler ceux de notre espèce, qu'ils estiment supérieurs au reste de l'humanité et qu'ils peuvent détecter grâce à un chromosome en forme de K qui n'existe que dans notre code génétique.

Mais quelque chose dans mon sang me rend supérieure aux Enfants d'Enoch, quelque chose que convoite le père de Ka pour des raisons que je l'ai obligé à m'avouer.

Avant que mon père me bâillonne, ma voix a forcé Karl à tout me dire.

Horrifiée, j'ai dû l'écouter me décrire les expériences menées en secret chez Biomedicare sur tous ceux de notre espèce que ses équipes trouvaient à travers le monde.

Des expériences inhumaines dont Carlo, mon père, fut un des deux seuls à sortir vivant…

Il m'a fallu un moment pour comprendre le but pour-suivi par le père de Ka mais je pense avoir fini par saisir : celui-ci cherche un moyen d'implanter artificiellement des chromosomes K aux humains… car lui-même n'en a aucun !

C'est son secret le plus honteux, celui qui le rend fou, car alors que tous les membres de sa famille possèdent un ou plusieurs chromosomes K, Karl, lui, en est dépourvu.

Depuis qu'il a pris la tête de Biomedicare son but est donc de modifier artificiellement les gènes des porteurs K pour pouvoir les réimplanter sur des humains.

Malheureusement, les résultats de ses expériences furent terribles. Lui-même m'a avoué n'avoir jamais réussi à aboutir à autre chose qu'à des aberrations ; d'ail-leurs la plupart des sujets de ses tests sont morts et quant à ceux qui ont survécu il aurait certainement mieux valu que ce ne soit pas le cas… Carlo, mon père, en est du reste la monstrueuse preuve.

Les équipes de Biomedicare ont fini par conclure que seuls certains ADN étaient parfaitement compatibles, et qu'il fallait l'alliance des quatre Génophores pour syn-thétiser le mélange parfait. Alors le père de Kassandre a décidé de stopper les expériences humaines pour se concentrer sur la recherche de sujets idéaux, et grâce à ma bêtise je viens de lui en fournir un sur un plateau : moi !

Le rai de lumière passant sous la porte de ma chambre vient de se diviser en cinq – lumière, obscurité, lumière, obscurité, lumière –, un signal en morse ne pouvant signifier qu'une seule chose : mon père est revenu, il attend devant ma porte.

Je ne sais pas ce qu'il veut mais je ne souhaite pas le savoir. Les seuls souvenirs confus qui me reviennent de sa présence à mes côtés me font peur. Être sa fille me fait peur.

Quelque part, tout au fond de moi, j'ai pitié de lui et de ce qu'il est devenu par la faute de ces Enfants d'Enoch. J'aimerais lui parler, essayer de le comprendre, mais il me répugne trop pour que je le laisse s'approcher à nouveau de moi.

Même si je sais qu'il est bien mon père, une part de mon esprit refuse absolument d'admettre que la moitié de ce que je suis provienne de lui. Sur les photos que Khiara m'avait montrées de Carlo avant sa transformation, j'avais découvert un athlétique jeune homme bronzé et au sourire charmeur, rien à voir avec cette chose qui tourne ce soir dans les couloirs.

Tout à l'heure, dans le salon, quand il a collé sa main aux ongles si longs contre ma bouche j'ai senti sa force brute et l'odeur fade de viande morte flottant autour de lui. Le sportif s'est transformé en bête musculeuse aux bras démesurés et à la peau plus blafarde que celle d'un cadavre.

La poignée tourne doucement.

Il n'a pas la clé.

Je sais qu'il pourrait briser la porte d'un seul geste ; mais je sais aussi qu'il ne le fera pas, car il est l'animal domestique du père de Ka et celui-ci lui a ordonné de ne plus me toucher. Pourtant il rôde.

Il rôde car il sait qu'une partie de moi lui ressemble.

Car, moi aussi, je suis un monstre.

Georges

10 mai
Naples
Quartier de Scampia

J'ai dû m'évanouir.
Je brûle de l'intérieur.
Ma sombre amie n'est plus là.
Elle s'est recroquevillée au plus profond de moi.
Douleur.
Je suis allongé sur le sol.
Le sol. La douleur. La brûlure.
Je me souviens.
Jarod a détruit notre sang puis nous a assommés avec un choc électrique.

Quand je trouve enfin la force de me lever je suis seul.
Enfermé dans le caisson de verre, prisonnier derrière les vitres blindées je distingue clairement l'albinos de l'autre côté.

Je me jette sur la porte du sas.

Une fois, deux fois, dix fois... mais c'est inutile.

– *Nous sommes dans le même camp, tu dois contenir ta rage*, m'intime la voix de Jarod à travers l'oreillette de mon casque.

Ma bête noire grogne. Elle déteste l'idée qu'on pourrait l'utiliser.

Nous utiliser.

Le recul de Jarod prouve qu'il la sent se réveiller.

Je tourne la tête lentement, ma nuque fait le bruit d'une coquille de noix pressée entre des mâchoires d'acier.

Sans le lâcher des yeux je baisse les épaules, décontracte mes poings et tire une à une sur mes phalanges pour les faire craquer avant de poser mes paumes bien à plat sur la vitre qui nous sépare.

La tentation de laisser les filaments noirs s'échapper est si forte que je dois me concentrer de toutes mes forces pour résister.

– Jarod ! Dis-moi ce que vous voulez faire de nous !

Je lui parle lentement, distinctement. Il faut qu'il comprenne bien chaque syllabe, qu'il pèse l'importance de mon pouvoir... *de notre pouvoir.*

Nous avons besoin d'une réponse et nos tentacules jaillissent.

L'albinos se croit en sécurité et ne nous voit pas venir.

La vitre qui nous sépare n'est pas assez épaisse pour empêcher mon dragon d'agir. Ses filaments noirs transpercent la couche de verre blindé et rampent à présent dans son esprit.

S'il ne veut pas me parler, nous irons chercher nous-mêmes les réponses à nos questions.

Mon dragon saisit délicatement la base de sa moelle épinière et la pince entre ses griffes.

Jarod est totalement paralysé et ne peut plus rien faire pour nous empêcher de fouiller son esprit à la recherche de ses peurs.

Celles-ci sont matérialisées par des noms – Camponi, Báthory de Kapolna, Caracciolo Di San Theodoro –, ce sont trois des familles à l'origine des Enfants d'Enoch.

Je ne comprends pas pourquoi les alliés d'hier sont désormais ennemis mais je m'en fiche alors je continue de fouiller.

Notre pouvoir a grandi.

Maintenant, en plus des peurs, ma bête noire arrive à lire de simples souvenirs. Le cerveau de Jarod se déroule dans le mien comme un film en accéléré.

Je vois une adresse, à Naples, et l'image d'une fille rousse aux yeux verts. C'est une Génophore mais elle est sous la garde de la Chose et mon père a besoin de moi pour aller la chercher.

De penser à la Chose déclenche un autre afflux d'images qui apparaissent dans l'esprit de Jarod. C'est un vieux souvenir.

Je vois un jeune homme, attaché sur le ventre à une table de métal pendant qu'un chirurgien en blouse blanche ouvre son dos et met à nu sa colonne vertébrale.

Dans le fond de la salle deux autres personnes sont ligotées de la même manière, deux hommes. Le premier hurle de douleur dans une langue que je ne connais pas, mais le deuxième reste silencieux, car il est déjà mort.

L'albinos est là lui aussi, il est beaucoup plus jeune et sert d'assistant au chirurgien. En lisant dans son esprit je

comprends qu'ils sont en train de modifier le code génétique
du type allongé, de lui transplanter la moelle épinière des
deux autres hommes pour lui transmettre leurs dons.

Le cobaye est éveillé mais ne crie pas ; je le vois tourner
la tête et, même s'il a beaucoup changé, je le reconnais. Cet
homme est la Chose qui nous a poursuivis en Suisse, celui
qui a tué à mains nues l'amie de Kassandre et essayé de
nous capturer. C'est Carlo Caracciolo Di San Theodoro,
l'homme aux trois chromosomes K dont Jarod m'a montré
le caryotype... des chromosomes implantés artificiellement
et qui l'ont transformé en monstre.

Si les Enfants d'Enoch nous cherchent c'est pour nous
faire subir le même traitement et, quoi que me dise l'albinos,
je suis à présent convaincu que Don Camponi ne vaut pas
mieux qu'eux.

Pour l'instant mon père a encore besoin de nous mais,
dès qu'il aura mis la main sur les quatre Génophores, nul
ne sait ce que son esprit malade a prévu de nous faire subir.

Je laisse mon dragon surveiller l'esprit de Jarod et
reviens dans mon corps.

Il faut que je réfléchisse, que je trouve une solution.

Impossible de m'enfuir maintenant, les couloirs sont
truffés d'hommes armés et Kassandre est trop loin de moi.

La seule solution c'est que Jarod nous fasse suffisamment confiance pour nous laisser aller chercher la fille
ce soir. Une fois tous les trois hors des *Vele* nous pourrons nous enfuir.

Je replonge dans l'esprit de l'albinos et en retire mon
dragon en effaçant les traces de notre passage dans sa
mémoire.

Jamais je ne suis resté aussi longtemps dans l'esprit d'un homme et j'espère que je vais réussir.

Je libère sa moelle épinière, détache délicatement le dernier filament qui me raccordait à son esprit et regarde attentivement son visage.

Si j'ai raté mon coup, si Jarod se souvient que j'ai pénétré dans sa mémoire, nous sommes perdus…

Une seconde, puis deux et je vois enfin son visage blafard s'animer. Ses paupières sans cils clignent plusieurs fois et ses pupilles rouges se fixent sur moi.

Je déglutis, croise les doigts mentalement et lance dans mon micro comme si rien ne s'était passé :

– OK, je me calme.

Il ne répond pas, a l'air complètement perdu, alors j'enchaîne :

– Donc, si j'ai bien compris tout ce que tu viens de m'expliquer, la troisième éprouvette est là pour recevoir le sang de la fille que nous allons chercher ce soir ?

Ses yeux glissent de mon visage au placard vitré que je lui désigne de la main.

Dans celui-ci trônent les éprouvettes d'où Jarod a tiré ses gouttes de sang.

Seules deux sont remplies, mais toutes sont pourvues d'une étiquette blanche où sont inscrits des lettres et des numéros.

E1 : G. d'Épailly/Camponi
E2 : K. Báthory di Kapolna
E3 : M.-A. Caracciolo Di San Theodoro
E4 : Encore inconnu

Jarod se frotte la joue, il a l'air de se demander ce qu'il fait là et semble un peu surpris que je lui parle de la fille, mais finit par appuyer sur le bouton du sas pour me rejoindre.

— Oui, exactement, c'est pour ça que ton père a besoin de vous. Cette fille est protégée par le monstre que vous avez déjà croisé et vous êtes les seuls à pouvoir l'affronter, mais ne t'inquiète pas, vous aurez une grosse équipe de soutien.

Je hoche la tête comme un bon garçon pour le rassurer et l'incite à m'en dire plus.

Jarod est content. Il s'enthousiasme sur notre sang, sur ses vertus, sur ce que nous pourrons réaliser de merveilleux quand nous serons enfin réunis.

J'acquiesce à tout ce qu'il me raconte.

Avec ce que j'ai découvert dans son esprit je sais qu'il me prend pour un idiot, mais ça m'arrange car ça signifie qu'il ne s'est pas rendu compte que j'avais violé son cerveau.

Alors j'opine avec application à chacun de ses propos, sans vraiment l'écouter car je suis concentré sur autre chose : trouver un moyen de prévenir Kassandre, et préparer notre évasion sans éveiller les soupçons.

Kassandre

10 mai
Naples
Quartier de Scampia

Ça fait une demi-heure que je suis seule, allongée sur mon lit sans bouger, mes écouteurs vissés dans les oreilles avec le son à fond.

Ces dernières heures m'ont totalement vidée ; je laisse la musique de l'album *Lawless Darkness* de Watain tenter de recharger mes batteries, mais malgré la profonde noirceur de ce groupe de black metal suédois je sais que ça ne suffira pas.

Portée par le flot hypnotique de leur son j'aimerais pouvoir m'immerger dans un *mosh pit*, me jeter dans la foule, sentir l'énergie collective d'un concert se déverser en moi.

J'aime cette musique lourde et rapide, j'ai besoin de ses 130 décibels et de ses 350 battements par minute pour me sentir vivante. Certains y voient une messe démoniaque mais moi j'y ai toujours senti la puissance de la communion humaine. Dans les concerts nous ne sommes qu'un seul et unique cœur qui bat, c'est pour ça que nous nous poussons : nous voulons nous fondre les uns dans les autres, ne plus être des individus mais un groupe. Le pogo me donne l'impression d'être un électron instable mais parfaitement à sa place au milieu des autres. Quand je rebondis, quand les autres me renvoient de droite à gauche, ces mouvements aléatoires me forcent à flotter. Je suis portée et je suis libre. C'est difficile à expliquer mais je sais que l'ordre de mon esprit ne peut survivre qu'en se fondant dans ce chaos, que mon pouvoir s'en nourrit.

Malheureusement, pour l'instant je suis seule et j'ai peur que même la voix puissante d'Erik Danielsson ne suffise pas à me remettre sur pieds.

J'ouvre les yeux. Il est temps que je bouge.

La lumière du plafonnier éclaire ma prison : aucune fenêtre, un lit crasseux, une moquette à la couleur indéfinissable et des murs aux tapisseries gerbiques... voilà mon nouveau chez-moi mais je m'en cogne ; après ce que je viens d'apprendre sur ma famille plus rien n'est capable de me surprendre.

Avant de partir avec le grand albinos, Georges m'a laissé son portable. Enfin, laissé... je devrais plutôt dire que je le lui ai « emprunté », mais au point où on en est, on ne va pas chipoter.

Je laisse les derniers accords de la basse exploser dans mes tympans, enlève mes oreillettes et glisse ma main dans la poche arrière de mon legging pour en extraire le portable.

– Allez mon grand, montre-moi ce que t'as dans le bide, je grommelle en allumant la machine.

Sur la page d'accueil un clavier numérique me réclame un code.

– Et merde !

Je balance l'appareil sur le lit en pestant. J'aurais dû m'en douter.

Malgré ma demi-heure d'immersion dans la musique, je n'ai jamais été aussi tendue.

Si Georges ne m'avait pas mise en garde contre la caméra perchée au-dessus de ma tête, je pense que je me serais déjà recroquevillée sur le lit pour pleurer toutes les larmes de mon corps mais là, je refuse de leur faire ce cadeau.

Je suis crevée, mais avant de m'écrouler il faut que je me change.

Je me lève et me force à franchir les deux mètres qui me séparent du fauteuil défoncé où sont posées mes fringues. J'ai l'impression d'avoir mille ans ; mes mains tremblent et, quand je soulève le tas de tissus, je laisse tomber mon ceinturon.

Le claquement sec du métal sur le bois de l'accoudoir me fait sursauter. Je viens de penser à un bruit de culasse.

– Putain de bordel de merde !

Je réalise que mon cœur vient de rater un battement à cause d'une boucle de ceinture… il faut absolument que je me reprenne.

Je choisis un jean noir, un boxer, un tee-shirt et un sweat de la même couleur, enlève mes Doc, mon legging et mon blouson en jean… pour me retrouver en slip et en débardeur au milieu de la pièce sans plus oser rien faire.

Autant me foutre à poil devant le dirlo au milieu d'un couloir ne m'avait pas gênée, autant me désaper sous l'œil d'une caméra pendant qu'un inconnu me mate à l'autre bout du tuyau me dérange.

La chambre est minuscule, aucun endroit où se cacher, alors je me dirige vers la petite porte du mur de droite et abaisse la poignée.

Le grand albinos n'a pas menti : la porte donne effectivement sur une salle de bains commune. C'est un genre de couloir entre nos deux chambres avec juste un lavabo et un bac à douche entouré d'un rideau de plastique rendu opaque par la crasse.

Mère tomberait probablement dans les pommes en découvrant l'endroit mais moi, tant qu'il y a de l'eau chaude, ça me va.

Au plafond est fixé le même genre de boule blanche que dans ma chambre. Ça me coupe tout espoir d'avoir un peu d'intimité mais, au moins, le rideau de plastique monte suffisamment haut pour qu'une fois dans la douche je sois un peu peinarde.

Je me déshabillerais bien derrière le rideau, mais ça manquerait de naturel ; j'ai peur qu'ils comprennent immédiatement que nous sommes au courant pour les caméras.

On n'a pas assez de cartes dans notre jeu pour que je puisse me permettre d'en abattre une pour une simple question de pudeur mal placée ; j'abandonne l'idée, me fous à poil le plus vite possible, grimpe dans le bac crasseux et tire le rideau derrière moi.

Ça fait plus de vingt-quatre heures que je ne me suis pas lavée, alors j'accueille l'eau tiédasse qui me tombe dessus comme une bénédiction.

J'ai oublié de prendre ma trousse de toilette mais me vois mal retourner la chercher, alors je décide de me contenter du pain de savon douteux qui surnage à mes pieds au milieu de poils noirs dont je refuse d'imaginer la provenance.

Une fois frotté pendant deux minutes, le bloc moussant s'avère être blanc. C'est un cube de savon de Marseille tout ce qu'il y a de plus standard et, s'il est suffisant pour faire disparaître les traces de sueur et de saleté sur ma peau, il refuse absolument de mousser quand je le frotte énergiquement sur mes cheveux.

Pire, il coule dans mes yeux et je me retrouve à pleurer comme un bébé en braillant toutes les insultes que je connais… et la liste est longue.

Je vais couper l'eau, quand celle-ci se décide enfin à devenir chaude.

Brûlante, même.

Immédiatement une épaisse vapeur se met à envahir la pièce et je décide de profiter un peu de ce moment.

Paumes contre le mur, je laisse l'eau frapper ma nuque et glisser sur moi comme une caresse soyeuse.

Je suis si bien que je commence à m'endormir et je baisse la garde.

Grave erreur.

Quand le rideau de douche s'écarte brusquement et qu'un corps puissant se plaque contre le mien, il est trop tard pour réagir.

le Maître

11 mai
Vieux Naples
Église Santa Maria la Nova

Ma reconstruction est de plus en plus difficile, de plus en plus longue.

Suis-je à la fin d'un cycle ? Aurai-je enfin le droit d'en finir avec tout cela ?

Le troisième sang glisse en moi, réveillant ma mémoire, défroissant mes cellules, activant mes pouvoirs.

Le troisième sang est celui des débuts, c'est celui de la terre, de la nature, des animaux.

Grâce à lui j'entends de nouveau la faune murmurer son chant, le chant de la Vie et je me souviens.

Quand je suis arrivé je n'étais que colère, colère et destruction.

J'ai plongé dans l'eau bleue, noyé la terre fertile, réveillé les volcans et balayé toute vie sur terre.

J'ai dissous ma colère en répandant la mort et me suis allongé.

Puis j'ai dormi.

Longtemps.

À mon deuxième éveil ils étaient des milliards.

Couchés sous le sable brûlant, perchés sur la crête des montagnes, nageant dans les gouffres abyssaux.

Ils étaient là, autour de moi, parfaits, magnifiques, inégalables de perfection, innombrables et complémentaires.

Leur vue m'avait transporté de joie et je m'étais fondu en eux.

Pendant des siècles j'ai admiré la justesse de leur évolution. Tous, ils étaient tous utiles, ils avaient leur place, les uns avec les autres, les uns contre les autres ils interagissaient avec harmonie, un ballet magnifique.

J'avais tout détruit, ils avaient reconstruit.

J'étais la mort, ils étaient la vie.

Mais ils n'étaient pas tous parfaits.

Un jour, au plus profond d'une caverne, j'ai découvert un animal étrange qui me ressemblait. Sans peau épaisse ni carapace pour le protéger, sans fourrure pour le réchauffer, sans griffes pour se défendre, il marchait à moitié dressé avec maladresse, il était lent, frigorifié, terrifié et j'ai d'abord cru qu'il était une erreur.

À quoi servait cet animal étrange ?

J'aurais dû passer mon chemin, le laisser disparaître, mais quelque chose m'a arrêté. Même s'il était faible, cet animal était celui qui me ressemblait le plus. Alors j'ai décidé de l'observer et c'est ce que j'ai fait ; siècle après siècle je l'ai regardé vivre, se reproduire et mourir… jusqu'à ce que, un jour, il me surprenne.

Un matin, dans une grotte obscure, j'ai découvert ce que cet être faible avait de différent des autres.

J'ai vu une main, l'ombre d'une main dessinée sur un mur et, plus loin, l'esquisse d'un cheval tracée avec un morceau de charbon.

Deux dessins fragiles et délicats me montrant une manière de se souvenir du monde.

Cet animal imparfait qui se dressait apeuré devant moi avait quelque chose de plus que tous les autres.

Quelque chose qui m'a rappelé pourquoi j'étais là et quelle était ma mission.

Comme moi, cet animal voulait se souvenir, voulait laisser une trace.

Cet animal imparfait était la mémoire de ce monde si parfait.

Alors j'ai décidé de l'aider et j'ai commencé à partager mes pouvoirs.

Kassandre

11 mai
Vieux Naples
Devant la maison des Caracciolo Di San Theodoro

Je frappe la cymbale de Charleston en continu par un mouvement en 8 par 8 de la main gauche, poursuis avec la grosse caisse, laisse un temps d'espace, puis envoie la caisse claire, la grosse caisse, la caisse claire, avant de faire un break puis de reprendre…

Dans ma tête résonne l'enchaînement de batterie de Phil Rudd.

AC/DC, un classique du hard pour vieillards mais c'est le premier truc que j'ai réussi à maîtriser avec mes baguettes et le répéter me fait du bien parce que j'ai peur.

Pour se faire pardonner Georges m'a donné son code, mais je n'arrive toujours pas à joindre Mina. Ça fait mille fois que j'essaie, mais je tombe systématiquement sur la messagerie.

« Bonjour, c'est Mina, si tu es un grand brun ténébreux tu peux laisser un message, autrement laisse tomber… »

Ce message c'était mon idée, d'ailleurs je m'entends qui glousse comme une dinde derrière sa voix.

Sur le coup on avait trouvé ça marrant. Aujourd'hui je le trouve débile, mais je donnerais tout pour effacer ces derniers jours et redevenir cette conne qui rigole bêtement.

Mais c'est impossible.

J'ai peur.

Si peur que je n'arrive même plus à formuler une pensée cohérente. Alors je frappe dans le vide, inlassablement, pour éviter de réfléchir à ce que m'a raconté Georges... et à ce qui s'est passé tout à l'heure.

Break, caisse pleine, grosse caisse, un temps d'espace, caisse claire, grosse caisse ; ne pas ralentir ma main gauche sur le Charleston.

Assise dans le noir à l'avant de la voiture dans laquelle nous patientons depuis plus d'une heure je frappe inlassablement dans le vide. Mais ça ne me suffit pas pour oublier.

Même si je ne le veux pas, les images se superposent encore et encore à la musique qui résonne dans ma tête.

La douche, la chaleur de l'eau sur ma peau et, brutalement, l'irruption de ce corps nu contre moi. Un corps d'homme. Et ma terreur folle, mon absolue faiblesse, la chaleur de mon urine contre ma jambe et le hurlement qui reste coincé dans ma gorge parce que j'ai trop peur pour hurler.

Même si je sais maintenant que Georges avait de bonnes raisons de faire ça, que la douche était le seul endroit sûr pour me parler sans craindre les micros, j'ai du mal à lui pardonner.

J'ai eu trop peur.

Penser à autre chose, effacer ma honte. Serrer plus fort les poings sur mes baguettes imaginaires, casser mes poignets et frapper l'air au-dessus du tableau de bord.

Charleston en continu en 8 par 8 de la main gauche, grosse caisse, un temps d'espace, caisse claire, grosse caisse, caisse claire, break…

– Arrête un peu de gigoter ! Tu vas finir par nous faire repérer, Kassandre ! murmure Georges d'un ton agacé.

Je ne lui réponds pas, ne le regarde même pas. Je le déteste et sans cette histoire de dingue qu'il vient de me raconter à propos de nos chromosomes supplémentaires et nos génomes complémentaires je me serais barrée dès ma sortie de la douche.

Pourtant il ne m'a pas touchée, il s'est juste collé contre moi pour tromper les caméras et pouvoir me répéter ce qu'il avait appris sans que les autres le sachent. Je sais que c'était le seul moyen. Je sais qu'il a eu raison, mais je me sens salie… et surtout honteuse de n'avoir pas été capable de réagir.

Je suis faible et c'est cette faiblesse qui me dégoûte.

S'il l'avait voulu il aurait pu me faire n'importe quoi.

J'étais paralysée par la peur et ma colère n'y changera rien : je suis faible.

– Hé ! Tu as avalé ta langue ? Tu vas me faire la gueule encore longtemps ? Je t'ai dit que j'étais désolé… En même temps avec ton look, tes clous et tes tatouages comment je pouvais deviner que tu étais plus pudique qu'une bonne sœur ? grommelle-t-il sans quitter des yeux la maison devant laquelle nous sommes postés depuis près d'une heure.

Je ne réponds pas mais j'arrête de frapper mes caisses invisibles. De toute façon, ça ne marche pas. Autant me concentrer sur les raisons de notre présence dans cette ruelle sombre du vieux Naples en pleine nuit : enlever une autre Génophore, celle dont m'a parlé Georges et qui porte un nom encore plus long que le mien.

Mon silence doit l'agacer encore plus car il met brusquement la radio et une voix en italien se met à débiter les dernières infos dans l'habitacle :

« Suite au séisme de magnitude 4,9 qui s'est produit aujourd'hui peu après 18 heures au nord-ouest de Naples, les premiers bilans officiels délivrés par les autorités ne font état d''"aucun dégât, ni humain, ni matériel".

Le tremblement de terre, qui a été ressenti dans tout le sud de l'Italie, aurait eu lieu selon les experts à une profondeur de 10,5 km sous le Vésuve mais ne semblerait pas indiquer de reprise d'activité du volcan. Néanmoins les habitants de Naples pris de panique sont descendus dans les rues aux premières secousses et de nombreuses voix s'élèvent ce soir pour demander plus de transparence au gouvernement. Dans un Tweet, le maire de la ville a exhorté les Napolitains au calme mais il ne semble pas... »

Je tourne brutalement le bouton du son et coupe la radio.

– Il attend quoi ton pote Jarod pour donner le signal de l'attaque ? Une autre secousse du Vésuve ?

Georges me désigne une fenêtre éclairée au troisième étage de la maison.

– Que tout le monde dorme.

Je soupire.

– Et ça ne serait pas plus simple de me laisser vérifier ? Il me suffit d'une seconde pour savoir qui est là-dedans… mon pouvoir a tellement augmenté que je peux même te dire précisément où ils sont et même ce qu'ils sont en train de faire.

J'ai envie d'être utile, d'agir, d'effacer ce sentiment d'impuissance qui me pèse depuis l'épisode de la douche. Je me sens prête à défoncer des murs, à exploser des cœurs et à tuer la terre entière. Tout plutôt que ce dégoût qui me colle aux neurones, mais Georges secoue la tête.

– Souviens-toi de ce qu'a dit Jarod : quand on active notre pouvoir, la Chose le sent. Si on veut les prendre par surprise il faut attendre le dernier moment pour intervenir. Le plan c'est de laisser les hommes de Don Camponi nous dégager le passage… N'oublie pas, Princesse : on récupère notre nouvelle meilleure copine et on s'en va.

Il ne le précise pas mais je me souviens de la fin de notre plan, qui comporte une petite différence avec celui mis au point par Don Camponi : on chope la Génophore, on se casse… mais au lieu de retourner à Scampia comme de bons toutous, on trace notre route loin de tous ces tarés !

J'ai dû m'assoupir, car la vibration du téléphone de Georges me fait sursauter.

C'est le signal.

La lueur qui transparaissait par la fenêtre de l'étage a disparu. La ruelle est plongée dans le noir mais je distingue des ombres qui se déplacent en silence le long des murs. Les hommes de main de Don Camponi ont troqué leurs fringues clinquantes de racailles bling-bling contre des survêts et des cagoules noires ; ils sont une dizaine, regroupés de part et d'autre de la porte pendant qu'un des leurs s'active sur la serrure.

Il est doué, en moins d'une minute le battant de bois s'ouvre en silence et ils disparaissent à l'intérieur de la maison.

Je questionne Georges :

— On les suit ?

Mais il secoue la tête.

— Pas la peine de prendre des risques… Tu peux sentir ce qui se passe à l'intérieur ?

— Mais ? Et la Chose ? Faudrait savoir ce que tu veux !

Le sourire de Georges me fait froid dans le dos.

— Grâce à nos copains mafieux elle doit être bien occupée… Mais si elle ne les a pas encore repérés ce serait bien de la prévenir, histoire qu'on puisse s'éclipser plus facilement.

C'est dégueulasse mais c'est notre plan : laisser les hommes de Don Camponi nous amener à la Génophore… et faire en sorte que la Chose les empêche de nous poursuivre dans notre fuite.

Je sors de la voiture, me concentre et projette mon esprit vers la maison.

J'ai dit à Georges que mon pouvoir avait grandi mais je suis stupéfaite par ce que je découvre en moi. Je ne me contente plus de sentir les cœurs, je peux aussi ressentir les émotions de leurs propriétaires, toutes leurs émotions.

C'est fascinant, terrifiant.

Très vite une carte mentale se dessine dans mon esprit.

En noir les dix cœurs des mafieux. Ils sont faciles à reconnaître : peur, excitation, adrénaline, envie de réussir ; ils bougent lentement en se séparant devant chaque porte. Ils explorent le rez-de-chaussée et rien ne semble stopper leur progression.

Dans une pièce du fond un cœur fatigué bat plus lentement : j'y lis de la soumission, c'est un être fruste, simple et... cruel. Une femme âgée qui dort.

À l'étage un autre cœur bat à peu près sur le même rythme : avidité, orgueil, aigreur, méchanceté ; là aussi une femme âgée dort, mais elle est différente ; plus hautaine, plus sûre d'elle, quelque chose de sombre est tapi au fond de son cœur et je sens qu'elle est dangereuse.

Je la laisse dormir et monte mentalement au troisième étage, où deux autres cœurs battent au bout d'un couloir. Leurs propriétaires sont bien réveillés mais se livrent à une étrange parade. Debout de part et d'autre d'une porte fermée, ils se font face et se regardent sans se voir à travers le battant de bois... La curiosité me pousse à m'approcher, mon esprit décolle et je suis aspirée dans un étroit tunnel qui me fait franchir en un éclair l'espace qui nous sépare.

Mon esprit n'est plus dans la rue.

Il plane dans le couloir et JE LES VOIS.

Paumes et joues collées de chaque côté la porte ils respirent à l'unisson et, malgré l'épaisseur du panneau de bois, on dirait qu'ils ne font qu'un.

Je ne distingue pas leurs visages mais je sais que l'un d'eux est la Chose, je reconnaîtrais son cœur sombre et ses mains aux phalanges démesurées entre mille.

Comme un crissement de craie sur un tableau noir ses ongles jaunes grincent sur le chêne en laissant de profondes entailles sur le battant. Le bruit est terrifiant, mais encore préférable à la noirceur qui tapisse son esprit et forme comme un halo putride autour de lui.

Je fuis aussitôt son contact visqueux pour me glisser de l'autre côté de la porte où je découvre une jeune fille. Son aura rouge est puissante, mais son cœur bat la chamade dans un concert désordonné de sentiments contradictoires : pitié, dégoût, peur sont si intimement liés que je n'arrive pas à savoir lequel prédomine.

J'ai l'impression de la connaître, mais juste au moment où elle va tourner son visage vers moi Georges pose la main sur mon bras et je perds le contact.

– Kassandre ? ça va ? Tes yeux sont devenus blancs et tu t'es évanouie.

Je suis de retour dans la rue... enfin, disons plutôt SUR la rue, vu que je suis allongée de tout mon long sur les pavés.

Je respire à fond.

Sans m'en rendre compte j'avais dû me mettre en apnée, car la goulée d'air qui pénètre dans mes poumons me fait l'effet d'une vague glacée.

– Je... J'étais là-bas, dans la maison et je les ai vus. La fille qu'on cherche est avec la Chose dans une des chambres de l'étage... celle qui était éclairée.

– Carlo t'a repérée ?

– Même pas, je crois qu'il est raide dingue de l'autre nana. Tu l'aurais vu… on aurait dit qu'il essayait de la bouffer à travers la porte, c'était… heurkkk !

Georges grimace, mais pas pour les mêmes raisons que moi.

– Ce n'est pas bon pour nous. Il faut que Carlo aille s'occuper des hommes de Camponi pour que nous ayons le champ libre. Essaye de gérer ça pendant que je grimpe chercher la fille.

Il part en courant sans même attendre que je lui réponde et saute sur la façade de pierre. Lui aussi a dû voir son pouvoir grandir car il gravit le mur plus vite qu'une araignée.

Je n'ai pas le temps de réagir qu'il est déjà à la hauteur de la fenêtre.

Je ferme les yeux et retourne dans la maison.

Cette fois-ci j'y arrive sans m'évanouir et je suis pleinement consciente d'être dans les deux endroits à la fois : assise dans la rue et volant dans les couloirs.

C'est étrange mais pas désagréable.

Je dépasse les hommes en noir sans effleurer leur conscience, remonte les escaliers à la vitesse de la lumière et rentre de plein fouet dans un mur de ténèbres gluantes.

– *Sssssss… tu es revenue… et tu es… plus forte… bien, cccc'est bien… Rejoins-moi.*

Je tombe dans un puits noir sans fond.

La Chose m'a sentie venir et perfore mon esprit !

La souffrance me met à genoux.

Je voudrais la repousser mais je n'y arrive pas.

Je suis elle, elle est moi et notre puissance destruc-
trice m'envahit.

*Deux hommes jaillissent de l'embrasure d'une porte, leur
surprise en nous voyant nous amuse. Ils sont d'une lenteur
exaspérante et nous les cueillons comme deux fleurs au bord
d'un chemin. Sous nos mains la nuque du premier se brise
avec un bruit de branche sèche.*

*Le second sent délicieusement bon. Nous déchirons son cou
à pleines dents et laissons son sang couler dans notre gorge.*

*C'est chaud, délicat, suave et nous regrettons de ne pas
avoir plus de temps.*

*Nous sautons par-dessus la rambarde et atterrissons
directement sur le palier ; une balle s'enfonce dans notre
épaule et nous fait trébucher.*

*Nous hurlons de rage, prenons notre élan et bondissons
sur la misérable créature qui a osé nous défier.*

*Sa peur nous alimente pendant que nous tournons nos
ongles dans sa cage thoracique pour arracher son cœur.*

La cymbale Charleston en continu en 8 par 8 de la
main gauche, grosse caisse, un temps d'espace, caisse
claire, grosse caisse, caisse claire, break…

Je frappe l'asphalte et les pavés avec mes poings en
me concentrant sur le rythme de mes baguettes.

Je ne veux plus être nous, je veux redevenir Kassandre,
revenir dans mon corps, reprendre la direction de mon
esprit, mais je n'y arrive pas.

Je n'y arrive pas car une partie de moi aime la puissance que m'offre la Chose.

Quand je suis nous, je ne suis plus faible, nous sommes
forts et… j'aime ça.

Alors je lâche prise et retourne me fondre en lui.

Nous rions, saisissons un homme à la gorge d'une seule main pour le projeter sur ses ridicules amis qui s'effondrent avec lui.

Nous hurlons de joie et dansons sur les trois corps étalés.

Nos pieds enfoncent des côtes, brisent des os et nous dansons, dansons jusqu'à ce qu'un hurlement nous arrête : Mère !

Un homme cherche à lui faire du mal et nous courons à l'étage pour la sauver.

Mère, mon amour, nul n'a le droit…

Mère ?

Impossible.

Mère ne m'aime pas et je ne veux pas la sauver.

Je ne suis pas lui.

Je suis Kassandre Báthory de Kapolna et je n'aime pas tuer les gens.

La cymbale en continu en 8 par 8 de la main gauche, grosse caisse, un temps d'espace, caisse claire, grosse caisse, caisse claire, break…

Je frappe le sol de plus en plus fort jusqu'à ce que mes mains saignent. La douleur me fait du bien et brise le lien qui m'unissait à la Chose.

– Kassandre !

Un cri. Mon prénom.

Je lève les yeux sur la fenêtre.

Georges, penché sur la balustrade, fait descendre quelqu'un agrippé au bout d'un drap blanc.

– Bon sang ! Bouge-toi, Ka !

Je me relève et me précipite juste au moment où la fille, arrivée au bout du drap, est obligée de sauter.

Elle m'atterrit dans les bras et nous roulons toutes les deux au sol.

Mon visage est enfoui sous un flot de cheveux roux et odorants.

Un parfum qui n'a rien à faire là mais que je reconnaîtrais entre mille.

Mina.

Georges

11 mai
Vieux Naples

Quand je regarde en bas avant de m'élancer à mon tour vers le sol j'ai un temps d'arrêt. La fille vient de tomber sur Kassandre mais au lieu des jurons que je m'attends à l'entendre pousser c'est le silence.

Entremêlées sur le bitume, les deux filles sont enlacées et s'étreignent en sanglotant.

J'ai dû rater un épisode, mais je n'ai pas le temps de m'appesantir sur la scène car dans mon dos les hurlements des hommes qui se battent dans les entrailles de la maison sont de plus en plus proches. J'enjambe la balustrade, m'agrippe au drap, glisse en rappel sur quelques mètres et saute à mon tour.

– Dites donc, les filles, je ne vous dérange pas ?

Kassandre et la rouquine se sont remises debout mais n'ont pas l'air décidées à se décoller. Pourtant, vu d'ici, rien ne pourrait être plus éloigné que ces deux nanas. Autant Kassandre avec ses cheveux peroxydés en pétard, ses piercings, ses tatouages et son look cuir noir ressemble plus à un chat sauvage efflanqué qu'à une fille, autant la sirène avec ses boucles rousses, et sa chemise de nuit blanche qui ne cache pas grand-chose de son corps de femme, est une bombe atomique sur laquelle je m'attarderais bien cinq minutes.

– Tu veux que je t'aide ?! grogne Kassandre à qui mon coup d'œil n'a pas échappé. Je te présente Mina.

– Mina ?

Je n'ai jamais vu cette nana de ma vie mais le prénom que prononce Kassandre me rappelle quelque chose.

– Ce ne serait pas la copine que tu essaies de joindre depuis deux jours ? Celle dont tu prononces le prénom dès que tu t'endors ?

Deux filles, deux réactions :

Hochement de tête gêné de Kassandre, que je jurerais voir rougir.

Sourire amusé de la rouquine, qui n'a pas l'air surprise et explique.

– Si nous sommes si proches c'est que nous sommes nées le même jour. Ma mère a rencontré celle de Kassandre à la maternité et c'est comme ça qu'elle est devenue sa nourrice... même si avec ce que j'ai découvert ici je doute que ce soit vraiment un hasard.

Je ne sais pas ce que cette fille a à nous apprendre mais, même si ça m'intéresse, je suis certain que ce n'est pas le moment d'en discuter.

– STOP ! Taisez-vous ! Au cas où ça vous serait sorti de la tête je vous rappelle que les hommes de Don Camponi et la charmante Chose qui rôde dans cette maison ne vont pas tarder à s'apercevoir que leur précieux paquet s'est fait la malle et je doute qu'ils prennent ça avec beaucoup d'humour. Alors si vous pouviez attendre qu'on se soit tirés d'ici pour bavarder ce serait une bonne idée.

Tout en parlant je leur désigne la direction de la voiture et, miracle, probablement conscientes de ce qui les attend si nous nous faisons attraper, elles se mettent immédiatement en marche.

– C'est quoi cette Chose dont parle ton copain ? demande Mina.

Avant que je puisse l'arrêter, Kassandre se met à lui répéter ce que je lui ai appris sous la douche.

– C'est une abomination génétique créée par mon père dans les labos de Biomedicare ; un type qui s'appelait Carlo je ne sais plus quoi avant d'être transformé en monstre…

– Carlo Caracciolo Di San Theodoro ?

– Oui, c'est ça, mais… comment tu le sais ?

– Parce que c'est mon père, répond doucement Mina en baissant les yeux.

– Quoi !?

Kassandre stoppe net et je manque de lui rentrer dedans.

Livide, elle secoue la tête de droite à gauche en murmurant que c'est impossible, que Mina doit se tromper, qu'il ne peut pas en être ainsi…

Elle ne veut pas y croire, pourtant, rien qu'à voir le regard terrifié qu'elle retourne sur la maison qui se dresse dans notre dos, elle sait que sa copine dit la vérité.

Je dois les tirer par le bras pour qu'elles avancent mais, une fois lancées, elles se mettent à courir et nous arrivons enfin devant la voiture.

— Vite, grimpez ! je leur ordonne en ouvrant les portières.

Kassandre pousse Mina à l'arrière, se glisse à ses côtés et tire la portière derrière elle.

Le message est clair : elle veut sa copine pour elle toute seule.

Je vais m'installer à mon tour quand je vois les yeux de Kassandre plonger dans mon dos et s'écarquiller de frayeur.

Ce n'est plus moi qu'elle regarde mais un point au loin et je n'ai pas besoin de me retourner pour comprendre ; la présence noire de la Chose fait siffler mon dragon qui s'étire pour se battre.

Carlo a dû comprendre que nous l'avions berné et, même s'il est toujours dans la maison, sa conscience nous cherche.

Je m'engouffre derrière le volant, claque la portière et engage la clé dans le démarreur.

Derrière moi, j'entends les deux filles hurler.

Nous devons fuir, vite, alors j'abaisse le frein à main, tourne la clé de contact dans le démarreur et fais hurler le moteur pour nous éloigner au plus vite.

Georges

11 mai
Vieux Naples

Juste au moment où notre voiture bondit hors de la ruelle sombre pour s'engager dans une grande avenue, un hurlement de sirène déchire la nuit.

Point positif, les filles cessent aussitôt de crier.

Point négatif, le sol se met à trembler violemment et je suis obligé de ralentir.

C'est la deuxième fois ce soir que la terre gronde, mais cette fois-ci ça ne semble pas vouloir s'arrêter.

– Magne, Georges, sinon on va rester coincés ici !

Kassandre m'agace mais elle a raison.

J'enfonce l'accélérateur, le moteur vrombit et je repars en trombe… pour ralentir au bout de cinq cents mètres. Tout autour de nous les portes des immeubles déversent des flots de gens apeurés qui envahissent l'avenue pour s'éloigner le plus possible des bâtiments.

Ça devient de plus en plus difficile de circuler. La voiture frôle des corps, rase des Napolitains hébétés et des enfants mal réveillés.

C'est trop dangereux, dans une foule aussi nombreuse je sais que si jamais j'écrase quelqu'un nous nous ferons lyncher.

Les poings rageurs de ceux que nous frôlons de trop près cognent sur notre carrosserie et des insultes fusent.

Je ne peux pas faire autrement que de ralentir encore plus.

La main de Kassandre surgit de l'arrière et écrase le centre du volant.

– Dégagez de là ! hurle-t-elle en appuyant sur le Klaxon comme une possédée. Faut quitter la ville, ces cons vont nous bloquer !

Comme si je ne m'en étais pas rendu compte…

Je chope son poignet au vol.

– Arrête avec ce Klaxon ! Non seulement ça ne sert à rien, mais en plus tu vas nous faire remarquer !

Je repousse sa main et l'envoie balader sèchement à l'arrière.

Je dois me concentrer sur la route et j'ai autre chose à faire que de gérer une gamine hystérique.

Les réverbères éclairent les visages furieux des Napolitains au milieu desquels nous passons puis, d'un seul coup, plus rien. Juste la lueur de nos phares qui perce l'avenue.

– Putain ! C'est quoi ça encore ? couine Kassandre.

Mina se charge de répondre à ma place.

– Calme-toi, Ka, c'est normal, c'est juste une panne générale de courant. C'est déjà arrivé le soir de mon arrivée, pile pendant une secousse. Je me demande même si ce n'est pas la municipalité qui coupe le réseau par sécurité.

Cette fille a une voix étrange, hypnotique.

Je ne sais pas si elle le fait exprès mais, dès qu'elle ouvre la bouche, ma bête noire ronronne comme un chaton et Kassandre se calme instantanément.

Dans le rétroviseur je la vois passer un bras autour du cou de sa copine et enfouir son visage dans ses cheveux. Je suis jaloux mais je n'arrive pas à déterminer de laquelle. Probablement des deux et de leur rapport étrange. Comme des sœurs.

Les murmures qui montent de l'arrière me perturbent. Le parfum de Mina me pénètre et je ne peux pas m'empêcher d'écouter sa voix.

À la voir comme ça, si douce, avec sa crinière de boucles rousses, son teint pâle et sa chemise de nuit blanche, on dirait une petite poupée... mais je sais que ce n'est qu'une illusion.

Quand j'ai débarqué dans sa chambre tout à l'heure, la fragile petite chose a bien failli me tuer, sans même avoir besoin de me toucher.

J'étais là, debout devant elle, et sa bouche s'est ouverte sur des mots acérés comme des couteaux qui m'ont pénétré le crâne aussi facilement que si c'était une motte de beurre.

Je ne le voulais pas mais j'ai répondu à toutes ses questions. Impossible de me taire, impossible de mentir. Devant elle je n'étais plus qu'un chien en laisse.

– FREINE !

Distrait par la voix de Mina, j'ai quitté la route des yeux pour l'observer et quand Kassandre se met à hurler il est trop tard : le cheval est déjà dans la lumière des phares et je ne peux plus l'éviter.

Je pile ; le hurlement des pneus sur l'asphalte me perce les tympans. L'animal se cabre, le blanc de ses yeux et de ses dents étincelle dans la nuit pendant que son cavalier chute lourdement sur le capot.

La tête casquée du flic vient rebondir sur le pare-brise et une étoile de verre se dessine sous l'impact.

L'homme glisse sur la carrosserie avant d'aller s'écraser au sol.

Il ne se relève pas.

La voiture est à l'arrêt et la foule hurle autour de nous.

Impossible de rester là, ou c'est le lynchage assuré.

– Fonce ! crie Mina à mon oreille.

Ma bête noire bondit pour lui obéir.

Je ne le veux pas mais écrase l'accélérateur sans pouvoir m'en empêcher.

Des bruits mats sur le capot ; la vision fugitive de visages terrifiés, de membres désarticulés et de corps qui s'envolent.

Hurlements de Kassandre recroquevillée sur son siège.

Et la voix de Mina qui continue de me donner des ordres :

– À droite ! Maintenant !

J'obéis et tourne dans une ruelle noire complètement vide.

Trente mètres et la foule hurlante a disparu.

Personne derrière nous… mais ça risque de ne pas durer éternellement.

Je descends de la voiture, fonce vers une berline garée à dix mètres, explose la vitre d'un coup de coude et ouvre la portière.

– Tu fais quoi là ? me demande Kassandre qui vient de me rejoindre.

– On change de carrosse. Don Camponi n'est pas un lapin de six mois, je suis certain qu'il a mis un mouchard sur sa voiture. D'ailleurs…

Avant que Kassandre ait le temps de réagir je chope mon téléphone que je vois dépasser de la poche arrière de son pantalon et l'écrase d'un coup de talon.

– Ça aussi vaut mieux éviter ; il n'y a rien de plus facile que de tracer un portable.

Kassandre ouvre la bouche pour râler puis la referme sans rien dire.

Si je n'étais pas si pressé je prendrais deux minutes pour savourer cet exploit, mais il y a plus urgent.

– Grimpez, je leur ordonne, me penchant sous le tableau de bord à la recherche des fils du démarreur.

En deux secondes la Volvo est opérationnelle, mais avant de partir je prends le temps de pianoter une destination sur son GPS.

– Qu'est-ce qui te prend ? Tu crois que c'est le moment de faire du tourisme ? me demande Kassandre en voyant que je cherche un chemin pour accéder au Vésuve.

Sa copine est moins stupide, elle comprend tout de suite.

– L'ordre d'évacuation de la ville va probablement être lancé. Les routes pour quitter Naples vont vite être saturées, mais les pentes du volcan seront certainement le dernier endroit où on pensera à nous chercher. Il a raison, Ka, c'est une bonne idée.

– Tu parles ! Une idée à la con oui ! T'étais pourtant avec moi quand on a visité Pompéi avec la classe l'an dernier. Tu ne te souviens plus des macchabées cramés vivants ? T'as envie de finir en pièce de musée ?

J'interviens.

– Tu préfères peut-être une petite discussion en tête-à-tête avec le père de ta copine ? À moins qu'on ne tente un retour dans l'immeuble de la Camorra pour voir le mien ? Décide-toi Princesse : c'est volcan, mafieux en colère ou abomination génétique cannibale !

Kassandre grogne un truc inaudible. Je pense qu'il y a « pauvre con » dedans mais je fais comme si je n'avais pas entendu.

– Alors ? Je fais quoi ?

Les deux filles échangent un regard. Elles n'ont même pas besoin de se parler et c'est Mina qui me confirme leur décision.

– Va pour le Vésuve…

journal de Mina

11 mai

Nous avons trouvé refuge dans les bureaux mobiles d'une station de forage géothermique expérimentale. D'après ce que j'ai pu comprendre en regardant les plans accrochés sur un des murs du préfabriqué, nous sommes à l'ouest du volcan, au cœur du parc national du Vésuve.

Nous sommes tout au fond d'une caverne creusée à flanc de volcan. L'endroit ressemble à une mine, mais heureusement les préfabriqués qui servaient de bureaux à ceux qui travaillaient ici nous permettent d'avoir un peu de confort.

Vu la taille du cadenas et les scellés que Georges a dû casser pour nous faire entrer, personne n'a prévu d'y revenir avant un moment.

En même temps, avec le volcan qui ne cesse de gronder je les comprends.

Le sol vibre de plus en plus souvent mais nous n'avons plus ressenti aucune secousse depuis celle, violente, survenue quand nous venions de monter en voiture.

Je me suis installée à un des bureaux mais Ka et Georges, allongés à même le sol, se sont endormis.

Je les envie, mais je suis trop inquiète pour notre avenir pour pouvoir faire comme eux.

Georges. J'ai beau savoir que nous sommes identiques, j'ai beaucoup de mal à cerner ce garçon.

Ka m'a raconté comment il l'avait aidée à échapper à mon père et je comprends qu'elle lui fasse confiance mais, pour l'instant, moi je préfère me méfier.

Quelque chose en lui m'effraie.

Tout à l'heure, à Naples, quand il a surgi par ma fenêtre j'étais dans un état second ; collée contre la porte de ma chambre j'avais l'impression d'émerger d'un long cauchemar et, sous le choc, j'ai bien failli le tuer.

Mon pouvoir s'est déclenché par réflexe, comme un bouclier face à un danger, et m'a plongée dans son esprit ; j'ai vu la bête sombre que ce garçon cache en lui. C'est un dragon obscur au crâne surmonté d'excroissances qui palpitent et se déroulent comme des langues de crapaud. Un dragon aux ailes chitineuses, aux crocs noirs et aux yeux vides. Un dragon que je connais car je le vois dans mes cauchemars… un dragon qui m'a reconnue et qui s'est couché devant ma voix comme un gentil toutou.

Si Georges n'avait pas parlé de Ka je l'aurais probablement tué, et le simple fait de pouvoir écrire cette phrase sans frémir, sans le moindre regret, me prouve à quel point moi aussi j'ai changé.

Il faut que je redevienne moi-même… même si je ne sais plus vraiment qui je suis en fait.

Heureusement j'ai retrouvé Ka, et j'ai enfin pu m'enfuir de cette maison qui était en train de me rendre folle. J'espère que, maintenant que je suis loin de mon père, mes envies de viande morte, mes rêves de sang et de carnage vont disparaître.

Ka aussi a changé.

Elle n'est plus celle que j'ai quittée la semaine dernière.

Évidemment, il y a de bonnes raisons à cela : elle m'a parlé de son pouvoir (comme je lui ai parlé du mien) ; elle m'a aussi parlé de son père, et de ce que Georges et elle avaient découvert sur lui : comme quoi il cherche à tirer parti de nos gènes K pour ses recherches et qu'il était à l'origine de la transformation de mon « père » en cette Chose immonde.

Je suis bien placée pour savoir qu'ils me disent la vérité, mais j'avoue que découvrir que ma mère et celle de Ka se connaissaient probablement avant notre naissance et avaient dû œuvrer dans l'ombre pour nous protéger est ce qui me surprend le plus.

Je n'arrive pas à imaginer (Ka non plus d'ailleurs !) que Karolina et maman aient pu être « complices » de quoi que ce soit… et encore moins amies !

Pourtant, l'évidence est là : toutes les deux devaient savoir pour nos pouvoirs ; ce n'est pas possible autrement.

Aucune de nous ne peut nier la réalité : nos mères nous ont protégées, elles nous ont gardées sous les yeux de celui qui nous recherchait pour mieux lui dissimuler notre existence : Karl Báthory de Kapolna, tout tourne autour de lui et des Enfants d'Enoch !

J'ai raconté à Ka ma rencontre avec son père, je lui ai parlé de ses rapports avec ma grand-mère, je lui ai répété ce qu'il m'avait avoué à propos du plan des Enfants d'Enoch mais je sens bien que Ka a du mal à me croire. Même si elle a toujours râlé contre lui, elle n'arrive pas à l'imaginer dans la peau d'un salopard assez cinglé pour enlever des gens et les utiliser comme rats de laboratoire juste pour permettre aux Enfants d'Enoch de dominer la planète.

Pourtant, Georges lui a expliqué ce que son père avait fait aux nôtres ; il lui a parlé des manipulations génétiques que Carlo avait subies et Ka elle-même m'a décrit ce qu'était devenu Don Camponi après son séjour forcé dans les laboratoires de Biomedicare. Elle sait, mais elle refuse l'évidence…

D'ailleurs, face aux forces qui se dressent contre nous, je ne comprends même pas comment nous avons réussi à nous échapper. Enfin, si : grâce à Georges et à la panique déclenchée par le séisme, car sans les sursauts du Vésuve nous aurions certainement eu beaucoup de mal à fuir aussi facilement.

Avant que Ka et Georges s'endorment, nous avons convenu de ce que nous allions faire ; nous avons décidé de retourner en Suisse pour interroger Karolina et ma mère sur le quatrième Génophore car nous avons besoin d'informations pour le, ou la, retrouver.

Avec le peu d'informations dont nous disposons aujourd'hui, nous n'avons qu'une seule certitude : nous ne pourrons pas nous en sortir tant que nous ne serons pas réunis.

Quatre, nous sommes quatre Génophores, alors j'espère de tout cœur que nous réussirons à retrouver le dernier d'entre nous.

(suite)

Le sol gronde doucement, presque aussi fort que les ronflements de Georges, mais Ka reste plongée dans le sommeil.

Moi je n'y arrive pas, depuis ce que je viens de découvrir en allumant la radio trop de questions sans réponses tournent dans mon esprit.

J'ai peur et si ces dernières lignes sont un peu tremblotantes c'est que je ne me remets pas de ce que je viens d'entendre.

J'aurais mieux fait de ne pas allumer la radio mais c'est trop tard, le mal est fait et les mots que j'ai entendus sont gravés au fer rouge dans mon esprit.

Je regarde Ka et Georges plongés dans un sommeil bienheureux dont j'hésite à les tirer.

Les choses sont tellement pires que nous ne l'imaginions que je n'ai pas les mots pour décrire ce que je ressens.

Où que soit le quatrième Génophore, je sais maintenant avec certitude que le trouver est vital ; vital pour nous et pour l'humanité tout entière car si l'apocalypse est en marche, elle n'est pas le fait de quelque dieu en colère.

Elle est le fait des hommes et j'ai peur que seul un miracle puisse nous en préserver…

postface

11 mai
Le Maître
Vieux Naples
Église Santa Maria la Nova

Des mains m'ont saisi avec douceur pour me tirer de mon tombeau de pierre et je sens que nous nous déplaçons.

Loin en dessous de nous, les entrailles du monde grondent et la terre se déchire. Sa force vitale, primordiale, m'appelle et ma conscience s'étire pour lui répondre.

La terre souffre, elle hurle sa douleur, sa rage et son malheur.

La terre se meurt, la terre étouffe et sa rage nourrit ma colère.

Hommes impudents, larves immondes, qu'avez-vous fait ?

Cette planète que vous deviez fouler avec respect, caresser avec douceur, aimer comme une mère nourricière, que lui faites-vous subir ?

Hommes, enfants stupides, que faites-vous ?

Vous étiez là pour glorifier la vie et vous ne faites que la détruire.

Immonde humanité, capricieuse, avide, égoïste.

Qu'ai-je fait en vous donnant la vie ?

– Tată ?

Le troisième sang me parle, il est à mes côtés.

Il a senti ma rage et tremble de terreur.

Je dois le rassurer et glisse dans son esprit troublé par ma colère.

Mon fils, ne crains rien. Tu n'es pas des leurs, tu es mon sang, mon enfant adoré. Ton frère et tes sœurs nous appellent. Ils sont tout près. Un grand danger les guette mais je sais que nous serons bientôt réunis car il ne peut en être autrement.

La terre gronde et j'entends bouillir la lave de la colère.

Je n'ai encore rien fait, pourtant les hommes commencent à mourir.

Je vois la peste se répandre parmi eux.

Une peste qu'ils ne doivent qu'à eux-mêmes et qui va les décimer.

Je suis l'incréé, le créateur, le destructeur.

Et je me réveille.

Tremblez !

Ouvrage réalisé par Cédric Cailhol Infographiste

Achevé d'imprimer sur Roto-Page
par l'Imprimerie Floch à Mayenne
en mai 2016.

Dépôt légal : septembre 2016
N° d'impression : 89711
ISBN : 978-2-8126-1108-7
ISSN 2416-7274